자기신뢰의 힘

자기신뢰의 힘

SELF-RELIANCE

랄프 왈도 에머슨

박윤정 옮김

타커스

내 안에 모든 자연의 법칙이 들어 있다.

내 안에 전체 이성이 잠들어 있다.

그 모든 것을 아는 것,

감히 그 모든 것을 알고자 하는 것,

그것이 내가 할 일이다.

가장 확고하고도 가장 순수한 목소리

에머슨에게는 분명하고도 힘 있는 목소리로 영혼에 호소할 줄 아는 특별한 능력이 있다. 에머슨의 이런 능력은 누구도 뛰어넘지 못했다. 호소하거나 위로하거나 다시 확인시켜주거나 타이르거나 힐책하고 으름장까지 놓는 영혼의 스승은 많이 있었다. 하지만 그처럼 확고하고 순수하게 말하는 사람은 없었다.

그의 목소리는 더욱 깊이 뚫고 들어가서, 느낌의 뿌리까지, 행위와 인격이 시작된 근원까지 스며드는 것 같다. 그는 아주 많은 것들을 아름답게 이야기한다. 그의 글에는 적절한 비유와 영감, 잊을 수 없는 구절들이 있으며, 섬세하고 우아하기까지 하다.

— 헨리 제임스, 문학가

에머슨의 원칙 있는 박애심은 그가 말하는 "한결같은 낙관주의"에서 비롯된다. 이 한결같은 낙관주의는 그를 위대하게 만드는 뿌리이자 매력의 근원이다. 행복과 희망에 대한 이런 끈질긴 천착의 중요성은 아무리 높게 평가해도 부족하다. 이것이 에머슨의 작품에 중요한 미덕을 부여한다.

워즈워스의 시가 현 시대에 우리말로 쓴 시 중에서 가장 중요한 작품이라면, 에머슨의 에세이는 산문 가운데서 가장 중요한 작품이라고 생각한다.

— 매튜 아놀드, 교육자, 시인

에머슨은 신성한 삶을 실현하려 한다. 그래서인지 그의 가슴과 머리는 동등하게 발달해 있다. 그는 더욱 멀리까지 진보했으며, 새로운 하늘이 그의 앞에 열렸다. 사랑과 우정, 종교와 시, 신성한 존재는 그에게 익숙하다. 에머슨에게는 타의 추종을 불허하는 특별한 재능이 있다. 그의 내면에 깃든 신성은 누구보다도 편안하면서도 분명한 인상을 남긴다. 그가 젊은이들에게 미친 영향은 누구보다도 크다. 그의 세계에서는 누구나 시인이 되고, 사랑이 지배하며, 아름다움이 피어난다. 인간과 자연이 조화를 이룬다.

— 헨리 데이비드 소로우, 문학가, 사상가

가르치기보다 말을 거는 사상가

세상에는 질문에 답을 주는 사상가와 사람들에게 말을 거는 사상가가 있다. 전자는 큰 스승으로서 제자들을 거느리며 학파를 만든다. 자신을 따르는 사람들을 지배한다. 이들이 쓴 책은 정통과 이단을 가르는 기준이 된다.

반면에 사람들에게 말을 거는 사상가는 지배적인 전통과 학파에서 사람들의 정신을 해방시키는 교사와 같다. 이들은 학생은 두지만 추종자는 거느리지 않는다. 각자 자신의 등불에 의지해서 스스로 탐구하도록 만드는 것이 이들의 목적이기 때문이다.

이들은 우리 모두가 스스로 자신의 힘을 발견하고 발휘하도록 도움으로써 삶을 더욱 깊고 넓게 만들어준다. 딱딱한 문답이 아니라 자연스러운 대화로 우리의 영혼을 진리로 이끈다. 이런 소수의 사상가들 가운데서도 에머슨은 단연 뛰어난 인물이다.

— 밀턴 R. 콘비츠, 전 코넬대 법대 교수

영혼과 교감하는 사람

에머슨을 아는 사람들, 그와 같은 시대를 살거나 교류하면서 조금이라도 영향을 받은 사람들은 그를 단순히 시인이나 철학자로만 평가하지 않는다. 또 그의 영향력이 그의 글 때문이라고만 생각하지도 않는다.

그의 강연을 들은 청중들이나 이웃, 친구들은 누구나 그의 됨됨

이에 존경심을 품었다. 이런 존경심은 그의 생각을 이해하고 받아들이는 문제와는 다른 차원의 것이었다. 많은 사람들이 에머슨을 따르고 강연을 들으러 몰려든 이유는 에머슨의 강연 내용 때문만은 아니었다. 그가 뿜어내는 정직하고 순수한 기운, 고요한 분위기, 신성한 음악을 듣는 것 같은 영적인 느낌 때문이기도 했다.

사람들은 에머슨이 좀더 차원 높은 세계와 교감하는 귀하고 아름다운 영혼임을 알아보았다. 에머슨이 말로 전하는 가르침과 진리보다 그가 뿜어내는 말로 표현할 수 없는 영적인 느낌을 더욱 가치 있게 여겼다.

– 조지 산타야나, 철학자, 시인

태어난 지 이백 년이 지난 지금도 에머슨은 미국 문화의 정신적 기둥으로서 큰 존경과 명예를 누리고 있다. 학교 수업은 그의 가르침들로 가득 차 있고, 많은 미국인들이 그의 사상을 어느 정도 안다고 자부한다. '나 자신을 믿어라', '인간은 홀로 설 수 있고 홀로 서야 한다', '나를 구원하는 것은 나 자신이다' 등의 가르침은 미국인의 정신 가장 깊은 곳에 스며 있다.

뉴욕주립대 영어 교수이자 에머슨 학회의 전 회장인 로날드 보스코는 이렇게 말했다.
"에머슨이 남긴 유산은 모든 세대의 학자들에게 진리 추구가 어떤 것인지를 깨닫게 해주는 거울과 같다."

에머슨은 방대한 양의 작품을 통해 미국의 시와 자연에 대한 글쓰기, 종교, 정치, 철학 등을 구체화시켰다. 그의 작품들 속에서는 전 세대를 통틀어 가장 날카로운 지성과 통찰력이 빛난다.

– 리처드 히긴스, 언론인, 뉴욕주립대 교수

차례

4장 · 자신의 삶을 주 교재로, 책은 주석으로

6장 • 자연은 영혼을 치유하는 병원

스스로 주인이 되는 길

자기 안에서 모든 사실의 필연적인 이유를 찾아야 한다.
외부의 의존 대상들을 모두 떨쳐버리고 홀로 설 때
비로소 강해지고 승리할 수 있다.

재능이란 자신을 믿는 것이다

믿는 것, 자신이 진실이라 여기는 것을 다른 모든 사람들도 진실이라고 생각하리라 믿는 것, 이것이야말로 비범한 재능이다.
그대 마음속에 숨겨두었던 확신을 드러내라. 그러면 그 말은 보편적인 의미를 가질 것이다. 그대 마음속에만 있던 것이 때가 되면 겉으로 드러나고, 그대가 처음에 가졌던 생각이 결국에는 마지막 심판을 알리는 나팔소리와 함께 다시 그대에게로 돌아올 것이다.
우리가 모세나 플라톤, 밀턴을 높이 평가하는 이유는, 그들이 책이나 전통 같은 것을 무시하고, 다른 사람이 아닌 자신의 생각을 말했기 때문이다.

존재에
증명은
필요 없다

나의 재능이 아무리 하찮고 보잘것없어도 나는 지금 이렇게 존재하고 있다. 그러므로 스스로 확신을 얻거나 동료들에게 확신을 주기 위해서 자신에 대해 어떤 부차적인 증명도 할 필요가 없다.
정말로 관심을 가져야 할 문제는 사람들이 나를 어떻게 생각하느냐가 아니라 내가 해야 할 일이다. 이것은 일상생활에서나 영적인 삶에서나 똑같이 어렵다. 그러나 중요한 것과 하찮은 것을 구분하는 훌륭한 기준이 되어준다.
세상의 견해를 좇아 사는 것은 쉬운 일이다. 홀로 자신의 생각만을 좇아 사는 것도 쉽다. 그러나 위대한 사람은 군중 한가운데 있으면서도 더 없이 온화하게 독립적이고 우아한 삶을 유지한다.

누구나
홀로 설 수 있고
홀로 서야 한다

[illegible] 의지하는 버드나무가 아니다. 우리는 홀로 설 수 있고, 홀로 서야만 한다. 자신에 대한 믿음이 확고하면 그 속에서 새로운 힘이 생겨난다.

우리는 신의 말씀을 대변하는 존재이며 세상의 갈등을 해소하기 위해 태어났다. 그러므로 다른 것에 의존하는 태도를 부끄러워해야 한다. 법률과 책과 우상과 관습일랑 창밖으로 내던지고 자신의 생각에 따라 당당하게 행동하라. 그러면 사람들은 더 이상 우리를 동정하지 않는다. 오히려 고마워하고 존경할 것이다.

이런 가르침을 주는 스승이야말로 인간의 삶에 빛을 되찾아주고, 인간의 이름을 모든 역사에 길이 남길 것이다.

그대 안의 작은 거장을 존중하라

시인이나 현자가 보여주는 천상의 빛을 찾는 대신 내면으로 시선을 돌려야 한다. 우리 안의 반짝이는 불빛들을 알아보고 관찰할 줄 알아야 한다.
우리는 자신의 생각이 자신의 것이라는 이유로 제대로 살펴보지도 않고 무시해버린다. 그러다가 스스로 무시해버렸던 신의 생각을 천재들의 작품에서 발견한다. 자신의 생각이 가까이 할 수 없는 위엄을 안고 우리에게 되돌아온 것이다.
위대한 예술 작품이 가르쳐주는 가장 감동적인 교훈은 이런 것이다. 사람들이 전부 반대편에서 소리칠 때일수록, 자신의 자연스러운 느낌을 흔들림 없이 고수하라. 그렇지 않으면 어느 낯선 사람이 나타나, 우리가 항상 생각하고 느껴왔던 것을 제법 아는 척하며 그럴 듯하게 말할 것이다. 그러면 우리는 결국 부끄러운 마음으로 다른 사람을 통해 자신의 생각을 받아들이게 된다.

스스로
자신의
기둥이 되어라

모두 떨쳐버리고 홀로 설 때 비로소 강해지고 승리할 수 있다. 우리가 내건 깃발 아래 지원병이 한 명 도착할 때마다 우리는 그만큼 약해진다.
다른 사람에게서 아무것도 구하지 말라. 모든 것을 스스로 하라. 그러면 무한한 변화 속에서 우리의 유일하고 확고한 기둥이 곧 우리를 에워싼 모든 것을 떠받쳐줄 것이다.
힘이란 내면에서부터 샘솟는 것이다. 우리가 약한 이유는 내면이 아닌 외부에서 도움을 구하기 때문이다. 이것을 깨닫고 주저 없이 자신의 생각에 따라 몸을 곧게 펴고 손과 발을 움직이는 사람은 기적을 이룬다. 두 발로 땅을 딛고 서 있는 사람이 물구나무를 하고 있는 사람보다 강한 것과 같은 이치이다.

먼저 자신에게 정직하라

사회는 일종의 주식회사와 같다. 사회 구성원들은 자신의 빵을 더욱 확실히 보장받는 대가로 자유와 문화를 포기하는 것에 동의한다. 이런 사회가 가장 많이 요구하는 덕목은 영합이고, 자기 믿음은 혐오의 대상이 된다. 이런 사회는 본질과 창조성이 아니라 명목과 관습을 좋아한다.

참다운 인간이 되려는 사람은 누구나 영합을 거부해야 한다. 영원한 승리를 구하는 자는 이름뿐인 선(善)에 흔들리지 말고, 그것이 진정으로 선인지 따져보아야 한다.

궁극적으로 신성한 것은 자신에게 정직이다. 먼저 그대 자신에게 결백을 선언하라. 그러면 세상이 그대를 인정할 것이다.

설명이 필요 없는 행위

어떤 다양한 행위도 그때그때 정직하고 자연스럽게 행하면, 그 속에서 하나의 동일성이 생겨난다. 모두 다른 것처럼 보여도 각각의 행위들이 동일한 의지에 따라 조화를 이룬다. 조금 거리를 두고 높은 차원에서 생각해보면 다양성은 보이지 않는다.

더없이 훌륭한 배도 바람에 따라 수없이 방향을 바꾸며 지그재그로 항해한다. 하지만 멀리서 보면 배의 행로는 대체로 일직선을 그린다. 마찬가지로 진정성이 있으면 우리의 행위는 저절로 설명이 되고, 우리의 다른 행위들도 더불어 이해가 된다. 그러나 영합은 어떤 것도 설명해주지 못한다.

자신의 생각에 따라 행동하라. 그러면 이제까지의 모든 행동들이 이제 우리 자신을 정당화해줄 것이다.

위대한 영혼은
모두
오해를 받았다

어리석은 일관성은 편협한 정신에서 비롯된 허깨비와 같다. 소심한 정치가와 철학자, 신학자들이나 이런 허깨비를 중요하게 생각한다. 위대한 영혼에게 어리석은 일관성은 아무 의미도 없다. 그것에 얽매이느니 벽에 어른거리는 자신의 그림자를 신경 쓰는 게 더 나을 것이다.

오늘 생각한 것은 오늘 분명하게 말하라. 그리고 내일은 내일 생각한 것을 분명하게 말하라. 오늘 한 말과 모순될지라도 그렇게 하라. 그러면 오해를 받을 게 분명하다고? 오해를 받는 게 그렇게 안 좋은 일인가? 피타고라스, 소크라테스, 예수, 루터, 코페르니쿠스, 갈릴레오, 뉴턴 모두 오해를 받았다. 지금까지 존재했던 사람들 가운데서 순수하고 지혜로운 영혼은 누구나 오해를 받았다.

나를 괴롭히는 힘은 내가 만들어낸 것이다

나는 어떤 설교보다도 예배 전의 고요한 교회를 더 좋아한다. 모두 자신만의 성역과 신전 속에서 더 없이 초연하고, 차분하고, 순결해 보이기 때문이다. 그러나 이런 침잠이 무의식적이어서는 안 된다. 영혼을 고양시키는 것이어야 한다.

자신만의 성역에 있으려고 할 때면 이따금 온 세상이 짜고 시시한 일로 우리를 괴롭히려는 것처럼 느껴지기도 한다. 친구나 고객, 자식, 병, 두려움, 결핍 등이 방문을 두드리면서 "밖으로 나와서 우리 편에 들어와!" 하고 말하는 것 같다.

그러나 그 유혹에 넘어가지 말고 자신의 자리를 지켜야 한다. 그들이 나를 괴롭힐 수 있는 이유는 나의 나약한 호기심이 그들에게 힘을 주었기 때문이다. 누구도 나의 행위를 통하지 않고는 내게 영향을 미치지 못한다.

그대
자신으로
살아라

나는 부모를 봉양하고 가족의 생계를 책임지고 충실한 남편이 되고자 노력할 것이다. 하지만 전에 없던 새로운 방식으로 이런 역할들에 충실할 것이다.

나는 당신들의 관습에 따르지 않을 것이다. 나 자신이 될 것이다. 당신들을 위해서 더 이상 나 자신을 길들이지 않을 것이다. 당신들도 나를 길들일 수 없다. 당신들이 나를 있는 그대로 사랑한다면 우리는 더욱 행복할 것이다. 그러나 그럴 수 없다 해도, 나는 당신들이 마땅히 그렇게 하도록 변함없이 노력할 것이다.

내가 싫어하는 것이나 좋아하는 것도 숨기지 않을 것이다. 나는 내 마음 깊은 곳에 신성이 숨어 있다고 믿는다. 그러므로 내 안에 나를 기쁘게 하는 것이 있을 때마다, 가슴이 시키는 일이 있을 때마다 그것이 무엇이든 열심히 할 것이다.

당신이 고귀하다면 난 당신을 사랑할 것이고, 그렇지 않더라도 위선적인 애정으로 서로에게 상처를 주지는 않을 것이다. 진실하기는 해도 나와 같은 진리를 품고 있지 않다면, 당신 자신의 친구를 찾아가라. 나는 내 친구를 찾을 것이다.
이것은 이기심이 아니라 겸허하고 진실한 마음에서 하는 말이다.
아무리 오랫동안 거짓 속에서 살았더라도 당신과 나 그리고 모든
인간의 궁극적인 관심은 진실 속에서 사는 것이다.

그대의 마음이 모두의 마음이다

그대가 들어야 할 말이 있다면, 반드시 그대의 귓전을 울릴 것이다!
모든 속담, 모든 책, 모든 격언 가운데서 위안이 되고 도움이 되는 말은 직접적으로든 우회적으로든 그대에게 다가올 것이다. 그대가 담대하고 부드러운 가슴으로 좋아하는 모든 친구들이 그대를 품에 안을 것이다. 그대의 마음이 모두의 마음과 같기 때문이다.
자연 어디에도 문이나 담장, 경계선은 없다. 마치 지구의 물이 전부 하나의 바다를 이루고, 자세히 보면 썰물과 밀물이 하나인 것과 같은 이치이다.

스스로 주인이 되는 길

인간의 일반적인 삶의 동기를 버리고 스스로 주인이 되고자 하는 사람은 자기 안에 진실로 신과 같은 자질을 가지고 있어야 한다. 숭고한 마음과 신념에 찬 의지, 선명한 통찰력이 있어야 한다. 그러면 진정으로 자기에게 교리가 되고, 사회가 되고, 법이 될 것이다. 다른 사람들에게는 세상의 보편적인 법칙이 영향을 미치지만 이런 사람에게는 자신만의 소박한 목적이 강력한 힘을 발휘할 것이다!

나를
구원하는 것은
나 자신이다

사람은 자기 일에 온 마음을 쏟고 최선을 다할 때 괴로움을 잊고 쾌활해진다. 다른 어떤 것도 우리에게 평화를 주지 못한다. 구원은 누가 가져다주는 것이 아니다. 자신을 믿지 않는 한 우리에게는 어떤 영감도, 창조도, 희망도 없다.

나를 기만하는 것은 나 자신이다

우리는 다른 사람에게 기만당할지도 모른다는 어리석은 생각에 사로잡혀 평생을 괴로워한다. 그러나 자신에게 기만당하면 당했지 타인에게 기만당하는 일은 없다. 그것은 어떤 물건이 존재하면서 동시에 존재하지 않을 수 없는 것과 같은 이치이다.

공부가 주는 몇 가지 깨달음

공부를 해나가다 보면 누구나 한 번은 이런 확신이 들 때가 있다. 질투는 무지의 결과이고, 모방은 자살행위이며, 좋든 싫든 자신에게 주어진 몫은 스스로 해결해야 한다는 것이다. 광활한 우주가 좋은 것들로 가득 차 있어도, 자신에게 맡겨진 땅 한 뙈기를 스스로 애써 경작하지 않으면 곡식 한 알도 얻을 수 없다.

우리 안에 깃들어 있는 힘은 완전히 새로운 것이다. 따라서 우리가 이 힘으로 무엇을 할 수 있을지는 자신 말고 아무도 알 수 없다. 스스로 시도해보기 전에는 알 수 없다.

그대의 진짜 운명을 받아들여라

자기 자신을 믿어라. 그러면 그대 마음속의 단단한 현(絃)이 모든 사람의 가슴을 울릴 것이다. 신의 섭리가 그대를 위해 마련해둔 자리, 동시대인으로 구성된 사회와 그곳에서 일어나는 모든 일의 연결고리를 받아들여라. 위대한 사람들은 언제나 그렇게 해왔고, 어린아이처럼 순순히 시대정신에 자신을 맡겼다. 그리고 자신의 마음속에 절대적으로 신뢰할 만한 것이 있음을, 그것에 따라 행동하면서 그것이 자신의 존재 자체를 지배하고 있음을 보여주었다.

우리도 가장 고차원적인 정신으로 그와 같은 초월적인 운명을 받아들여야 한다. 병약자나 미성년자처럼 안전한 곳에 숨어 있거나, 혁명 직전에 도망치는 겁쟁이가 되어서는 안 된다. 신의 의지에 따라 혼돈과 암흑을 무찌르러 진격하는 지도자이자 구원자, 베푸는 자가 되어야 한다.

무시할 수
없는
사람

아무런 욕심도 없는 소년들은 어떤 일에서든 말이나 행동으로 다른 사람의 비위를 맞추는 것을 혐오한다. 스스로 당당한 왕처럼, 이들이 지닌 태연함은 인간 본성의 건강한 면모를 잘 보여준다.
거실에 있는 소년은 극장에 앉아 있는 관객과 같다. 그는 주위의 사람들과 벌어지는 일들을 독립적인 시각으로 부담 없이 바라보며, 즉석에서 간단명료하게 '좋다' '나쁘다', '재미있다' '멍청하다', '멋지다' '짜증난다'라는 식으로 평가한다. 결과나 이해에 전혀 구애받지 않고 자주적으로 진실한 평가를 내린다.
소년들은 우리의 눈치를 보지 않는다. 우리가 그들의 눈치를 본다. 우리는 자의식이라는 감옥에 갇혀 있기 때문이다. 소년들처럼 거침없이 말하거나 행동하는 순간, 우리는 죄인처럼 수많은 사람들에게 동정과 증오의 대상이 된다. 이로 인해 다른 사람들의 감정과 시선을 고려하지 않을 수 없게 된다.
아, 다시 소년다운 무심한 상태를 회복할 수 있다면! 그래서 모든 약속에서 자유롭고, 다른 사람들의 시선에 흔들리지 않고, 편견이나 돈, 위압에도 굴하지 않고 순진무구함을 유지할 수 있다면! 그러면 우리는 언제나 무시할 수 없는 존재가 될 것이다.

누구나 세상의 주인공이다

술에 취해 거리에서 잠들어 있던 주정뱅이를 사람들이 공작(公爵)의 집으로 데리고 가서, 깨끗이 씻기고 새 옷으로 갈아입힌 다음 공작의 침대에 눕혔다. 그리고 그가 깨어나자 공작을 대하듯 극진히 모셨다. 주정뱅이는 그동안 자신이 제정신이 아니었다는 것을 깨달았다.

이 이야기가 인기를 끄는 이유는 주정뱅이가 인간의 상태를 상징하기 때문이다. 요컨대 우리는 이 세상에서 일종의 주정뱅이처럼 산다. 그러다가 문득문득 정신을 차리고는 자신이 공작임을 깨닫는다.

미덕의 힘은 시간이 흐를수록 강해진다

오늘 내가 다른 사람들의 시선을 의식하지 않고 단호하게 옳은 일을 할 수 있다면, 이미 과거에 옳은 일을 많이 해두었을 것이다. 과거의 옳은 일이 지금의 나를 정당화해주기 때문이다.
지금 옳은 일을 하라. 겉으로 드러나는 것은 무시하라. 그러면 앞으로도 언제나 그렇게 행동할 수 있다. 품성의 힘은 누적되는 것이다. 과거에 한 모든 이로운 일은 오늘에도 영향을 미친다.
존경받는 전쟁 영웅들의 위엄은 대체 어디에서 나오는 것일까? 그것은 과거 그들이 성취한 위대한 승리의 기억에서 생겨난다. 그 기억들이 한데 뭉쳐서 그들에게 누구도 넘볼 수 없는 빛을 부여하는 것이다.

장미와 인간

내 방 창문 밑에 핀 장미는 이전에 피었던 장미에 대해서, 자신보다 아름다운 장미에 대해서 아무런 말도 하지 않는다. 그저 있는 그대로 존재할 뿐이다. 신과 더불어 오늘을 산다. 그러므로 장미에게 시간이라는 것은 없다. 다만 장미가 있을 뿐이다. 존재의 어떤 순간에도 장미는 완전하다.

잎눈이 트기 전에 이미 장미의 온 생명이 활동한다. 꽃이 만개한다고 더 많은 생명이 활동하는 것도 아니고, 잎이 다 떨어지고 뿌리만 남았다고 활동이 줄어드는 것도 아니다. 장미의 본성은 어느 순간에나 한결같이 만족을 느끼고 자연을 만족시킨다.

그러나 인간은 행복을 미래로 미루거나 과거의 추억 속에서 산다. 현재에 사는 법을 모른다. 과거를 돌아보며 슬퍼하고, 지금 자신을 에워싼 풍요에서 눈을 돌리고, 발꿈치를 치켜세운 채 미래를 내다본다. 장미처럼 시간을 초월해서 자연과 더불어 현재에 살지 않는다면 인간은 행복할 수도, 강해질 수도 없다.

더 중요한 기준

우리가 재산이나 정부에 의지하는 것은 자기를 신뢰하는 마음이 부족하다는 증거이다. 인간은 오랜 세월 외부 대상에만 의존했기 때문에 종교나 학문, 정치제도를 재산의 보호자로 여기게 되었다. 그래서 제도에 대한 공격을 싫어한다. 제도에 대한 공격이 곧 자기 재산에 대한 공격이라고 느끼기 때문이다.

또 품성이 아니라 소유한 것을 근거로 사람을 평가한다. 그러나 교양인은 자기의 본성은 귀중히 여기는 반면 재산에 대해서는 부끄러워한다. 어떤 우연에 의해, 유산이나 증여, 범죄를 통해 얻은 재산은 특히 더 부끄럽게 여긴다.

운명을 대하는 바람직한 태도

대부분의 사람들은 운명의 여신과 도박을 해서, 운명의 수레바퀴가 구르는 결과에 따라 모든 것을 얻거나 잃는다. 하지만 승리를 해도 그것은 부당한 소득이므로 버려야 한다. 그리고 신의 대법관인 '원인'과 '결과'를 상대해야 한다. 요행이 아니라 신의 의지에 따라 일하고 마땅한 대가를 구하라는 말이다.

이것은 운명의 여신이 굴리는 요행의 수레바퀴를 쇠사슬로 묶어놓는 것과 같다. 그러면 수레바퀴가 돌아가는 상황을 두려워하지 않고 느긋하게 앉아 있을 수 있다.

정치적 승리, 재산의 증가, 건강 회복, 떠났던 친구가 돌아오는 것 같은 즐거운 일이 어쩌다 일어나면, 앞으로도 행운의 날들이 기다리고 있을 것이라고 생각한다.

하지만 이런 생각을 믿지 말라. 우리 말고는 누구도 우리에게 평화를 가져다주지 않는다. 원리원칙에 따른 정당한 승리 말고는 어떤 것도 평화를 가져다주지 않는다.

신에게나
인간에게나
환영받는 사람

믿음이 부족할 때, 의지가 약할 때 생긴다. 후회나 미련으로 재난에 빠진 자를 구할 수 있다면, 얼마든지 그렇게 하라. 그러나 그럴 수 없다면, 차라리 자신의 일에 열중하라. 그러면 불행은 사라지기 시작한다.

동정도 마찬가지이다. 울고 있는 사람을 보면, 우리는 어리석게도 돕는답시고 그에게 다가가 함께 운다. 감동적인 자극으로 진실과 건강한 정신을 일깨워주고, 다시 한 번 자신의 이성과 소통하게 해 줄 생각은 안 하고 말이다.

행운의 비밀은 우리 손 안에 있다. 스스로를 돕는 사람은 신에게나 인간에게나 영원히 환영받는다. 그에게는 모든 문이 활짝 열려 있다. 모두가 그에게 환영의 말을 던지고 영예를 선사한다. 모두가 부러운 눈으로 그를 쳐다본다.

세상을 정복하는 법

우리의 정신은 저급한 것을 목표로 삼도록 교육받은 탓에 스스로를 갉아먹고 있다. 가식적이거나 남의 말에 고분고분한 사람 말고는 아무도 할 일이 없게 되어버렸다. 이로 인해 힘들고 단조로운 일을 반복하는 노동자가 되거나 혐오감에 시달려 죽거나 자살하는 사람도 있다.

그 치유책은 무엇일까? 그들은 아직 깨닫지 못하고 있다. 일자리를 얻기 위해 희망에 젖어 이런 장벽들을 향해 몰려들고 있는 수많은 청년들은 아직 깨닫지 못하고 있다. 단 한 사람이라도 타고난 소질 위에 몸을 세우고 굳건히 그 자리를 지키고 있으면, 이 거대한 세계가 도리어 그의 편이 되리라는 것을.

어디를 가든
내가 나를
따라다닌다

여행은 어리석은 사람의 낙원이다. 한 번이라도 여행을 떠나보면 여행지가 생각처럼 신기하지 않음을 깨닫는다.
집에서 생각할 때는 나폴리나 로마에 가면 그곳의 아름다움에 취해 슬픔을 잊을 수 있을 것 같다. 그래서 가방을 싸든 채 친구들과 작별의 포옹을 하고 배에 오르지만, 결국 나폴리에서 그 꿈은 깨지고 만다. 바로 옆에 내가 피해온 분명한 사실, 변함없는 슬픈 자아가 그대로 버티고 있다. 바티칸과 궁전들을 찾고, 아름다운 풍경이나 상징에 매료된 척하지만, 실제로는 매료되지 못한다. 내가 어디를 가든 내 안의 거인이 나를 따라다니기 때문이다.

내가 가장 잘할 수 있는 것을 어떻게 찾을까?

여행에 대한 갈망은 우리가 깊이 병들어 있다는 증거이다. 그래서 몸이 어쩔 수 없이 집에 머물러 있는 동안에도 마음은 밖을 떠돈다. 모방을 하는 것이다. 마음의 방황이 결국 모방을 낳는 것 아닌가? 우리는 이국적인 취향으로 집을 짓고, 이국의 장식물로 서가를 채운다. 견해와 취향, 능력은 과거의 것이나 먼 곳을 따르고 의존한다.

그러나 예술이 번창한 곳에서는 어디서나 영혼이 예술을 창조한다. 예술가는 자신의 마음속에서 모델을 찾는다. 그러니 모방하지 말고 자기 자신을 고집하라. 우리는 지금까지 쌓아온 교양의 힘으로 매 순간 재능을 최대한 발휘할 수 있다. 다른 사람에게서 빌린 재능은 일시적이며 절반의 힘밖에 갖지 못한다.

우리가 가장 잘할 수 있는 것이 무엇인지는 신만이 가르쳐줄 수 있다. 스스로 그것을 발휘할 때까지는 그것이 무엇인지 알려줄 사람도, 알 길도 없다. 셰익스피어를 가르쳤다는 교사가 어디에 있는가?

세계는
그대를 위해
존재한다

스스로 하나의 집을 짓는다. 자신의 집 저편에 세계를, 세계 저편에 하나의 천국을 구축한다.

세계가 그대를 위해 존재함을 알라. 우리는 대체 어떤 존재인가? 우리가 알 수 있는 건 오직 이것뿐이다. 아담이 가졌던 모든 것, 시저가 했던 모든 일을 우리도 가질 수 있고, 할 수 있다. 아담은 하늘과 땅을 자신의 집이라 하고, 시저는 로마를 자신의 집이라 했다.

그대는 작은 구둣방이나 백 에이커의 경작지, 혹은 책으로 둘러싸인 다락방을 그대의 집이라 부를 것이다. 근사한 이름은 없어도 그대의 영토는 아담이나 시저의 영토만큼 훌륭하고 조금도 부족하지 않다. 그러니 그대 자신의 세계를 구축하라. 그대 마음속에서 일어나는 순수한 생각에 삶을 맞추는 순간, 그대의 세계가 드넓게 펼쳐질 것이다. 영혼이 그대 마음속으로 흘러 들어오는 순간, 모든 것 속에서 혁명이 일어날 것이다.

인간이
세계의
주인공인 이유

학자가 인간과 세계 사이에 존재하는 놀라운 일치성을 간과하면, 과학은 충분한 인간성을 획득할 수 없다. 인간이 세계의 주인공이기 때문이다.

하지만 그것은 인간이 가장 뛰어난 존재이기 때문은 아니다. 인간은 모든 크고 작은 일 속에서 스스로 자신을 발견하기 때문이다. 모든 산의 지층 속에서, 모든 새로운 색채의 법칙 속에서, 관찰이나 분석을 통해 알게 된 대기의 영향 속에서, 천문학적인 사실들 속에서 인간은 자신을 발견하기 때문이다.

주체적인 인격체로 홀로 서라

모든 선한 것, 모든 위대한 것의 그림자를 친구 삼고, 자신의 무한한 생명력에 대한 통찰을 위안 삼아, 우주의 원리를 연구하고 전달하라. 타고난 재능을 발현하고, 세계를 변화시키는 것을 자신의 일로 받아들여라.

이 세계에서 하나의 주체적인 인간으로 서지 못하는 것은 수치스러운 일이다. 하나의 인격체로 평가받지 못하고, 각자 이루어내야 할 고유한 결실을 맺지 못하고, 몇백 명이나 몇천 명으로 이루어진 어떤 분파나 당의 일원으로서만 인식되는 것은 부끄러운 일이다. 북이니 남이니 하는 지리적인 요인에 따라 의견이 엇갈리는 것은 창피한 일이다.

2장

미루지 말고 오늘을 살아라

삶은 철학적인 것도, 비평적인 것도 아니다.

오로지 강인한 것이다.

인생이 주는 위대한 선물은 계산으로 얻을 수 있는 것이 아니다.

모든 행복은 삶이라는 큰 길 위에 놓여 있다.

인생이라는 신비

[illegible] 있지 않다면 인생은 살 만한 가치가 없을 것이다. 나는 매일 아침 눈을 떠 창가로 다가간다. 그리고 먼동이 터오는 풍경을 바라보면서 과거의 내 모든 생활습관을 뭉개버리고 새로운 날들로 나를 초대하는 대자연의 신비로운 비밀을 발견한다.

어느
멋진 날

살다보면 자신이 게으르다는 생각이 들 때가 있다. 그러나 돌이켜보면 그동안 많은 일을 이루었고 새로 시작한 일도 상당히 많음을 깨닫게 된다.
하루하루가 아무 보람도 없이 흘러가는 것 같다는 생각이 들 때도 있다. 하지만 우리가 지혜나 시, 미덕 같은 것들을 언제, 어디서 얻게 되었는지를 생각해보면 참으로 놀라지 않을 수 없다.
이것들은 달력에 있는 어느 특정한 날에 터득한 것이 아니다. 헤르메스가 달의 여신과 주사위 놀이를 해서 이긴 덕분에 오시리스가 태어났듯, 우리가 모르는 어느 멋진 날이 달력 어딘가에 끼워져 있다.

무심의 지혜

어떤 생활방식이나 행동양식에도 반대 의견은 있기 마련이다. 그러므로 곳곳에서 부딪히는 반대 의견에도 무심한 태도를 유지하는 것은 가장 현실적인 지혜 가운데 하나이다.
쓸데없는 생각으로 자신을 망치지 말고, 어디에 있든 자신의 일에 최선을 다해야 한다. 삶은 철학적인 것도, 비평적인 것도 아니다. 오로지 강인한 것이다.
인생에서 최고의 행복은 자신이 찾아낸 것을 의심하지 않고 즐기는 사람, 세상과 잘 어울려 살아가는 사람만이 누릴 수 있다.

세월이 주는 선물

모든 것은 매 순간 우리에게 가르침을 준다. 지혜는 어디에나 스며들기 때문이다. 그것은 혈액처럼 우리 몸을 흐르고, 고통으로 몸부림치게도 하고, 슬픈 날과 즐거운 노동의 날들을 번갈아 경험하게 만든다. 그러나 우리는 오랜 시간이 흐른 뒤에야 비로소 지혜의 참모습을 깨닫는다.

미루지 말고
오늘을
살아라

요즘 젊은이들은 처음으로 일을 시작해서 실패해도 완전히 낙담한다. 젊은 상인이 사업을 하다 실패하면 주위 사람들은 그의 인생이 끝났다고 말한다.
아주 뛰어난 젊은이가 졸업 후 일 년 안에 보스턴이나 뉴욕 같은 대도시에서 직장을 얻지 못하면, 그는 물론 친구들도 크게 실망해서 나머지 인생을 불평 속에서 보내는 것을 당연하게 여긴다.
그러나 뉴햄프셔나 버몬트 같은 시골 출신의 강인한 젊은이는 인생의 온갖 일에 도전한다. 짐을 나르고, 농사를 짓고, 행상을 하고, 학교를 운영하고, 설교를 하고, 신문을 편집하고, 의회에도 진출하고, 대지주가 된다. 여러 가지 일을 시도하는 동안 역경이 닥쳐와 벼랑으로 굴러 떨어져도 언제나 고양이처럼 사뿐히 착지한다. 이런 젊은이는 도시의 연약한 젊은이 수백 명보다 더 가치 있다.
그는 시대와 나란히 보조를 맞추어 걷고, 특별한 능력이 없는 것을 전혀 부끄러워하지 않는다. 자신의 인생을 미루지 않고 오늘을 살기 때문이다. 그에게는 단 한 번이 아니라 수백 번의 기회가 있다.

평화로운 삶의 비결

사람은 누구나 자기만의 환상 속에서 산다. 맥없이 떨리는 손 때문에 보람 있는 일은 하기 힘든 술주정뱅이처럼, 삶은 꿈속에서 벌이는 한바탕 대소동과 같다.
이런 삶에서 마음의 안정을 유지할 수 있는 길은 오직 현재라는 시간을 소중히 여기는 것이다. 허식과 혼탁한 정치의 소용돌이 한복판에서도 조금의 의심도 없이 자신을 안정시키며 자신의 신조를 더욱 굳건히 해야 한다.
나의 신조는 어떤 일을 하든 뒤로 미루거나 남을 탓하지 않는 것이다. 막연한 희망을 품지 않는 것이다. 어디에 있든 누구를 만나든 항상 정의롭게 행동하는 것이다. 아무리 보잘것없고 추하더라도 지금의 친구와 환경을 우주가 보낸 신비의 전달자로 받아들이는 것이다.

행복이라는 선물은 받을 줄 아는 자의 몫이다

아침에 눈을 뜨면 언제나 변함없는 세상과 아내, 아이들, 어머니, 콩코드와 보스턴, 익숙한 영적인 세계가 나의 곁을 지키고 있다. 그리 멀지 않은 곳에 낯익은 악마의 모습도 보인다. 그러나 지금 내가 가진 행복을 눈에 보이는 대로 아무 의심 없이 전부 끌어모으면, 아주 높게 쌓을 수 있다.
인생이 우리에게 주는 위대한 선물은 계산으로 얻을 수 있는 것이 아니다. 모든 행복은 삶이라는 큰 길 위에 놓여 있다.

지금을
사는
당당함

매일 밝은 마음과 위대한 목적을 갖고 일하는 사람은 언제나 그 날의 주인이 된다.
나는 평범한 것을 마음에 품는다. 일상의 평범하고 하찮은 것을 탐구하고 그 발아래 앉는다. 나에게 오늘을 꿰뚫어볼 수 있는 통찰력을 달라. 그러면 과거와 미래의 세계는 그대가 가져도 좋다.

행복과 지혜

자연은 한눈파는 것을 싫어한다. 그러므로 어머니가 아이들에게 "애들아, 조용히 밥이나 먹어. 먹을 땐 잡담하는 거 아니야"라고 말하는 것은 자연의 참뜻을 전하는 것이다.

인생도 마찬가지이다. 한눈팔지 않고 우리 눈앞에 다가온 시간을 채우는 것이 행복이다.

지금 이 순간을 잘 마무리하고, 길 위에 내디딘 한 걸음 한 걸음에서 여행의 목적을 발견하고, 가능한 한 유익한 시간을 많이 가지는 것이 진정한 지혜이다.

가까운 것이 먼 것을 설명한다

우리는 가까이 있는 것이 먼 것 못지않게 아름답고 경이로움을 깨닫고 놀란다.
가까운 것이 먼 것을 설명한다. 한 방울의 물은 작은 바다이다. 한 명의 사람은 자연 전체와 연결되어 있다. 그러므로 평범한 것들의 가치를 인식하면, 지금껏 알지 못했던 여러 가지 깨달음을 얻는다.

지금
하는 일이
가장 중요하다

지금 하는 일이 아무 쓸모가 없는 것일 수도 있다. 하지만 그 일을 하는 나는 그것이 아무 쓸모가 없다고 생각해서는 안 된다. 그러면 그 일을 무사히 끝마칠 수 없기 때문이다.

한갓
꿈

어린 고양이가 자신의 꼬리를 쫓아 맴도는 귀여운 모습을 본 적이 있는가? 우리가 그 고양이의 눈으로 세상을 볼 수 있다면, 자신이 꼬리를 쫓는 동안 주변에서 수많은 인간 군상들이 복잡한 인생 드라마를 펼치는 모습을 보게 될 것이다.

이 드라마에는 비극적인 것과 희극적인 것이 마구 뒤섞여 있고, 긴 대화와 수많은 등장인물, 엎치락뒤치락 하는 운명의 이야기들이 담겨 있을 것이다. 한편으로는 이 모든 것이 한 마리의 고양이와 그의 꼬리에 불과하지만 말이다.

위선은 모든 관계를 망친다

개개인의 본성은 동시대인들의 성격에도 그대로 나타난다. 그러므로 나의 옳고 그름은 그들의 옳고 그름도 된다.
나는 내게 맞는 일을 하며, 내게 맞지 않는 일은 하지 않을 것이다. 이웃과 생각을 맞추어 시대가 나에게 요구하는 역할을 할 것이다. 그러나 내게 주어진 일도 제대로 못 하면서 이웃들에게 지시하려 든다면, 진리에서 벗어나 그들과 거짓된 관계를 맺게 될 것이다.
이웃이 나보다 수완이 없고, 능력도 모자라며, 잘못된 생각을 가지고 있다는 생각이 들 때도 있을 것이다. 하지만 그런 생각은 거짓이며, 그 거짓은 나와 이웃의 관계를 망친다. 자연과 사랑은 이런 뻔뻔한 태도를 용납하지 않는다. 이런 식으로 타인을 지배하려는 것은 여러 통치방식 가운데서도 가장 사악하고 잘못된 것이다.

삶의 두 가지 방식

지금의 '정신적인 유목생활'은 잡다한 사물에 힘을 분산시켜 정신을 파괴한다. 반면에 '집을 지키는 지혜'는 자기의 땅에서 삶의 모든 요소를 발견하는 절제 혹은 자족의 미덕을 가르친다. 그러나 아무런 새로운 자극도 받지 않으면, 집을 지키는 지혜도 단조로움과 퇴보라는 위험에서 벗어날 수 없다.

소박하고
진실한
삶

허영심이 강한 여행자는 왕후나 귀족, 귀부인에게 들은 말이나 행동을 들먹이며 자신의 삶을 그럴듯하게 포장한다. 야심에 찬 속물은 자신의 수저나 브로치, 반지 등을 자랑하고, 화려한 명함이나 자신에게 쏟아진 찬사를 잘 간직해둔다.

좀더 교양 있는 사람은 자신의 경험을 이야기하면서 특별히 흥미 있고 시적인 일들을 강조한다. 로마에 갔던 일이나 그가 만난 천재, 그가 아는 명망가, 어제 본 멋진 풍경, 산에서 한 생각들을 이야기하며 자신의 삶에 낭만적인 색조를 덧칠한다.

그러나 신을 예찬하는 사람은 소박하고 진실하다. 전혀 허풍스럽지 않으며, 좋은 친구도 갖고 있지 않고, 기사도 정신도 없고, 모험적인 사건도 없고, 다른 사람들의 칭찬을 바라지도 않는다. 다만 지금 이 순간 속에, 평범한 일상의 진실한 경험들 속에 머문다. 현재의 순간과 평범하고 사소한 일들이 그의 생각에 스며들어 빛의 바다마저 흡수하기 때문이다.

자연스러운
것이
아름답다

고전 비극, 아니 모든 고전 문학의 중요한 매력은 등장인물들이 소박하게 말한다는 점이다. 심사숙고하는 태도가 마음의 지배적인 습관으로 자리 잡기 전에 훌륭한 지각을 가졌으면서도 그것을 전혀 의식하지 않고 있는 그대로 말한다. 그러므로 우리가 고대의 양식을 찬미하는 것은 그 예스러움이 아니라 자연스러움 때문이다. 그리스인은 사색적인 사람들이 아니었다. 하지만 완벽한 지각과 건강, 세상에서 가장 훌륭한 신체구조를 갖고 있었다. 어른들도 아이처럼 꾸밈없고 아름답게 행동했다. 꽃병을, 비극을, 조각상을 만들었다. 모두 건강한 감각으로 빚어낸 멋스러운 작품들이다.

진리에 독점권은 없다

마음은 하나이다. 그러므로 진리 자체를 위해 진리를 사랑하는 가장 고차원적인 사람들은 진리의 소유권 따위를 중요하게 생각하지 않는다. 이들은 어디서든 진리를 감사하게 받아들이며, 진리에 인간이 지어낸 이름을 붙이거나 도장을 찍지 않는다. 진리는 오래전부터, 아득한 옛날부터 자신들의 것이었기 때문이다.

많이 배운 사람이나 사상을 열심히 공부하는 사람에게도 지혜에 대한 독점권은 없다. 이들은 어느 한쪽에만 치중한 탓에 올바르게 생각할 힘을 상실해버리기 쉽다. 정말로 중요한 생각을 들려주는 사람들은 오히려 별로 예리하지도, 심오하지도 않은 이들이다. 우리가 오랜 세월 갈구하고 구해왔지만 찾지 못한 것을 이들은 아무렇지도 않게 가르쳐준다.

관계의 빛이 우리를 살아 있게 한다

인간이 모든 존재의 중심에 서면, 한 줄기 관계의 빛이 다른 모든 존재들에서 인간에게로 쏟아진다. 이런 다른 존재들이 없으면 인간을 이해하는 일은 어려워지고, 인간이 없으면 다른 존재들도 이해할 수 없다.
개미의 본능도 단순히 개미의 본능으로만 생각하면 별로 중요할 게 없다. 하지만 한 줄기 관계의 빛이 개미에게서 인간에게로 확장되는 순간, 인간은 이 작은 일꾼을 위험의 경고자로 받아들인다. 몸집은 작지만 위대한 심장을 가진 존재로 인식한다. 그리고 개미의 모든 습성을 숭고한 것으로 여기게 된다.

때가 되면 자연스럽게 이루어진다

진정으로 그대를 위해 존재하는 것은 자연스럽게 그대에게 이끌린다.

그대는 지금 친구를 찾아 헤메고 다닌다. 그러나 발은 부지런히 움직이되 정신까지 그럴 필요는 없다. 친구를 찾지 못해도, 그것이 최선이라고 받아들이면 된다. 그대 안의 힘은 그의 안에도 있다. 그러므로 둘이 만나는 것이 최선이라면, 그 힘이 둘을 만나게 할 것이다. 그대는 지금 그대의 재능과 취향이 이끄는 대로, 인간에 대한 사랑과 명예에 대한 갈망으로 어떤 일을 하기 위해 열심히 준비하고 있다. 그런데 어떤 이유로 그 일을 할 수 없게 되었다고 하자. 그래도 그런 상황을 기꺼이 받아들여야 한다. 아직 그대가 그 일을 할 때가 되지 않았기 때문이다. 그대가 준비가 되면 그 일은 자연스럽게 그대에게 다가올 것이다.

일상이
예언이 될 때

별 생각 없이 지나쳐버린 암시나 흘려들은 말은 일상의 사소한 일들을 통해 현실로 다가온다.
함께 차를 타고 숲속을 지나던 어느 부인이 이런 말을 했다.
"숲이 언제나 저를 기다리고 있었던 것 같아요. 나그네들이 지나갈 때까지 숲에 사는 요정들이 일손을 멈추고 지켜보는 것 같다는 생각도 들고요."
이런 생각은 오래 전에 쓰여진 시 속에서도 찾을 수 있다. 사람들의 발소리가 가까워지면 요정들이 춤을 멈춰버린다는 내용의 시이다.
한밤중에 달이 구름을 뚫고 솟아오르는 광경을 보는 사람은 마치 대천사처럼 빛과 세계가 창조되는 현장에 있는 것과 같다.

모두의 권리

살기를 원한다. 나의 삶은 구경거리가 아니라 삶 자체를 위한 것이다. 나는 나의 삶이 화려하고 불안정하기보다는 중압감이 덜하기를, 그만큼 거짓 없고 평화롭기를 갈망한다. 건전하고 유쾌하기를, 음식을 조절하거나 의사의 신세를 질 필요가 없기를 갈망한다.

나는 그대가 인간이라는 근본적 증거를 요구한다. 사람이 아닌 행위를 증거로 삼는 것에는 반대한다. 훌륭하다고 인정받는 행위를 하든 말든 내게는 아무런 차이가 없다. 나의 고유한 권리를 위해 대가를 지불하는 것에 나는 동의할 수 없다.

삶의 초점거리

성격이 지나치게 볼록하거나 오목한 렌즈 같아서 삶의 현실적인 지평에서 적절한 초점거리를 찾아내지 못하는 이들이 있다. 이런 사람에게는 천부적인 재능도 아무 소용이 없다.

그 사람을 아는 법

그가 읽은 책과 사귀는 친구, 칭찬하는 대상, 옷차림과 취미, 그의 말과 걸음걸이, 눈의 움직임, 방을 보면, 그 사람을 알 수 있다.

참된 만족의 조건

무언가를 열심히 움켜쥐려 하면
그것은 어느새 우리의 손가락 사이로 빠져나가 버린다.
인간의 참된 만족은 지나치게 엄격하거나 편안한 것을 피하고,
어떤 상황에서도 마음의 평정을 잃지 않는 데 있다.

배타심은 소외를 무시는 무시를 낳는다

"아무리 작은 자만심이라도, 자만심을 가진 자는 그로 인해 반드시 피해를 입는다."

사람들과 친분을 나누는 데 배타적인 사람은 저 혼자만 즐거움을 누리려다가 도리어 자신을 더욱 소외시키게 된다. 종교적인 배타주의자는 다른 사람들이 천국에 들어가지 못하게 방해한다. 그러다가 결국에는 자신이 들어갈 천국의 문도 닫아버린다.

다른 사람을 장기의 졸이나 구주회 의 핀처럼 대하는 사람은 결국 자신도 같은 취급을 받는다. 상대의 마음을 무시하면, 우리 자신의 마음도 무시당한다.

공을 굴려 아홉 개의 핀을 쓰러뜨리는 경기.

관계의
역학

정당한 관계를 유지하는 동안에는 누구를 만나도 불쾌하다는 느낌이 들지 않는다. 물이 물을 만나듯, 두 갈래의 기류가 하나로 합치듯 본질적으로 완벽하게 융화되고 흡수된다.
그러나 이런 순수한 상태에서 벗어나 분리를 꾀하면, 다시 말해 나에게만 좋고 상대에게는 불리한 일을 시도하면, 상대는 즉시 부당함을 직감한다. 이로 인해 상대가 나를 피하는 만큼 나도 상대를 멀리하게 된다. 상대의 눈은 더 이상 나의 눈을 찾지 않고, 둘은 마음속으로 싸움을 벌인다. 결국 상대는 증오를, 나는 두려움을 품는다.

불편한 거래

마땅한 부담을 지불하는 것은 무엇보다 중요한 일이다. 하찮은 것을 아끼려다가 때로 더 큰 손해를 본다. 세상일에 경험이 풍부한 사람은 이것을 잘 안다.
채무자란 결국 자신에게 빚을 지는 사람이다. 백 가지 은혜를 입고 하나도 보답하지 않는 사람이 과연 어떤 이득을 볼 수 있겠는가? 게으름을 부리며 간교한 지혜로 이웃의 물건과 말, 돈 등을 빌려 쓰는 사람이 과연 어떤 이득을 보겠는가?
빌리는 즉시, 한쪽에서는 은혜를 베풀었다는 생각이 생겨나고, 다른 한쪽에서는 은혜를 입었다는 마음이 일어난다. 우월한 자와 열등한 자로 나뉘는 것이다.
이런 거래는 두 사람의 기억 속에 고스란히 남아, 새로운 거래가 있을 때마다 그 거래의 성격에 따라 이들의 관계도 달라진다. 이로 인해 우리는 '공짜로 얻는 물건보다 더 비싼 것은 없다'라는 것을 깨닫는다.

도둑과
사기꾼은
멀리 있지 않다

도둑질은 결국 자신에게서 훔치는 것이고, 사기는 자신을 속이는 것이다. 노력의 진정한 가치는 앎과 덕이고, 부나 명예는 그 표시에 불과하다. 이 표시는 지폐와 같아서 위조를 할 수도, 도둑을 맞을 수도 있다. 하지만 이것이 대변하는 것, 즉 앎과 덕은 위조를 할 수도 없고 도둑을 맞지도 않는다.

앎과 덕은 마음에서 우러난 진정한 노력과 순수한 동기가 있어야만 성취할 수 있다. 아무리 애써도 사기꾼이나 채무 불이행자, 도박꾼 같은 사람은 정직한 사람이 성실하게 노력해서 얻는 물질적이고 정신적인 깨달음을 얻을 수 없다.

이것이 자연의 법칙이다. 일하라. 그러면 힘을 얻을 것이다. 하지만 일하지 않는 자는 힘을 얻을 수 없다.

단점도
때론
도움이 된다

자신의 뿔은 자랑스러워하고 다리는 싫어했다. 그러나 사냥개가 쫓아왔을 때 다리 덕분에 살고, 이후에 뿔이 가지에 걸려 죽었다. 이처럼 누구나 일생을 살면서 자신의 단점에 감사해야 할 때가 있다.

진리와 씨름해보지 않으면 진리를 충분히 깨달을 수 없다. 마찬가지로 자신의 단점으로 고생하고 자신에게 없는 장점을 다른 것으로 극복해봐야, 자신의 장점과 단점을 정확히 파악할 수 있다.

사회생활에 장애가 되는 기질적인 단점을 갖고 있을 때는 어떻게 해야 할까? 이 단점을 계기로 혼자 있는 것을 즐기고 스스로를 돕는 습관을 길러야 한다. 그래서 상처 입은 조개처럼 단단한 껍질 속에 찬란한 진주를 품어야 한다.

지혜로운 사람은 약점을 힘의 근원으로 만든다

우리의 힘은 우리의 약점에서 자라난다. 그래서 위대한 사람은 언제나 자진해서 낮은 자리에 서려 한다. 편안한 방석에 앉아 있으면 저절로 잠에 빠져들기 때문이다. 자극을 받고, 고통을 겪고, 패배를 경험해야만 비로소 무엇인가를 배울 수 있다. 현실을 직시하고, 자신의 무지를 깨닫고, 자만의 망상에서 깨어나야만 절제와 진정한 능력을 얻는다.

현명한 사람은 적의 손에 일부러 자신의 몸을 내던진다. 자신의 약점을 발견하는 것은 적보다 자신에게 이롭기 때문이다. 적에게 입은 상처는 곧 나아서 아물고 딱지가 앉아 쉽게 떨어진다. 그래서 적이 승리의 기쁨에 취해 있을 때 그는 이제 불사신이 된다!

비난이
칭찬보다
안전하다

비난이 칭찬보다 안전하다. 나는 언론의 지지를 받는 것을 싫어한다. 하나부터 열까지 나에게 불리한 말을 듣는 동안에는 성공할 것 같은 확신이 든다. 그러나 꿀처럼 달콤한 칭찬의 말을 들으면 아무런 대책 없이 적 앞에 나선 사람처럼 느껴진다.
우리가 굴하지 않는 한, 모든 해악은 은인과 같다. 샌드위치 섬의 토인들은 그들이 죽인 적의 힘과 용기가 자신들에게 옮겨온다고 믿었다.
칭찬의 유혹에 저항하는 만큼 우리의 힘은 강해진다.

한쪽을 채우려면
다른 쪽을
비워야 한다

자연계 곳곳에서 양극성 혹은 작용과 반작용을 확인할 수 있다. 어둠과 빛, 차가움과 뜨거움, 밀물과 썰물, 남성과 여성, 동식물의 들숨과 날숨, 체액의 양과 질의 균형, 심장의 수축과 이완, 유동체나 음향의 파동, 원심력과 구심력 등이 그것이다.

바늘의 한쪽 끝에서 자기력을 일으키면 반대쪽에도 자기력이 생긴다. 남쪽이 끌어당기면 북쪽은 반동을 일으킨다. 이쪽을 텅 비게 하려면 저쪽을 응축시켜야 한다. 이런 이원론이 자연현상을 이등분한다. 모든 것에는 완전한 것으로 만드는 또 다른 절반이 있다. 정신과 물질, 남성과 여성, 안과 밖, 위와 아래, 동과 정, 긍정과 부정 등이 그 예이다.

세계는 이처럼 이원적이며, 세계를 구성하는 모든 부분도 그렇다. 만물의 모든 조직은 그 부분들 속에서도 그대로 재현된다.

지나침은 모자람을 모자람은 지나침을 부른다

힘에서 얻은 것은 시간에서 잃고, 시간에서 얻은 것은 힘에서 잃는다. 행성들 사이의 주기적인 혹은 보상적인 오차도 그 예이다. 정치사에서 볼 수 있는 기후와 토지의 영향도 마찬가지이다. 추운 기후대의 사람들은 활력이 넘치고 적극적이다. 황량한 땅에서는 열병도, 악어도, 호랑이도, 전갈도 살 수 없다.
모든 지나침은 모자람을 부르고, 모자람은 지나침의 원인이 된다. 단맛 속에는 반드시 쓴맛이 있고, 악 속에도 선이 숨어 있다.
즐거움을 담는 그릇인 재능을 남용하면 반드시 그에 따른 대가를 치른다. 그러나 이 재능을 절제하면 그 보상으로 무병장수한다.

자연은 독점과 예외를 싫어한다

하나의 지혜가 있으면 반드시 하나의 어리석음이 있다. 잃는 것이 있으면 반드시 얻는 것이 있고, 얻는 것이 있으면 잃는 것이 있다.
부가 증가하면 그것을 사용하는 사람도 증가해야 한다. 수확하는 사람이 지나치게 많이 거두어들이면, 자연은 그가 곳간에 쌓아둔 만큼 빼앗아간다. 인간이 지나치게 재산을 불리면, 자연은 그 소유주를 영원히 데려간다. 자연은 독점과 예외를 싫어하기 때문이다.

세상 모든 것은 스스로 균형을 추구한다

파도가 높이 치솟은 정점에서 급속히 잔잔한 상태로 돌아가듯, 세상의 모든 일은 스스로 균형을 추구한다. 세상에는 언제나 균형을 이루게 하는 상황들이 있기 마련이다. 이런 상황들은 지나치게 교만한 자와 강한 자, 부유한 자, 운이 좋은 자들을 보통의 다른 사람들과 똑같은 자리로 끌어내린다.

너무 고집이 세고 난폭해서 사회생활에 맞지 않는 남자가 있다고 하자. 그는 기질로 보나 태도로 보나 불량한 시민이다. 자연은 이 남자에게 여러 명의 아들과 딸을 점지해줄 것이다. 아이들은 시골 학교의 어느 여교사 반에서 즐거운 나날을 보내고, 무뚝뚝하고 험상궂던 이 남자의 인상은 아비로서의 사랑과 걱정으로 자애롭게 변할 것이다.

이처럼 자연은 화강암과 장석 같은 단단한 돌도 부드럽게 만든다. 멧돼지를 내쫓고 어린 양을 불러들여 자연의 균형을 유지한다.

참된 만족의 조건

우리 눈에 보이지 않아도 해악을 억제하는 힘은 존재하며 언젠가 반드시 나타난다.
정부가 학정을 펼치면 위정자의 생명은 위태로워질 것이다. 과세가 터무니없이 높으면 세입은 늘지 않을 것이다. 형법을 너무 가혹하게 적용하면 배심원들은 공평하게 판단하지 못하고 법이 너무 무르면 사적인 복수가 난무할 것이다. 정부가 부당한 정치를 하면 시민은 과격하게 정부의 압력에 저항하고 삶의 불꽃은 한층 맹렬하게 타오를 것이다.
인간의 참된 생활과 만족은 지나치게 엄격하거나 지나치게 편안한 것을 피하고, 어떤 상황이나 환경에서도 마음의 평정을 잃지 않는 데 있다.

우주가
살아 있는
이유

세계의 모든 부분은 완벽한 균형을 이룬다. 신의 주사위에는 한쪽에 납이 박혀 있어서 언제나 같은 결과가 나온다. 세상은 구구단이나 방정식처럼 우리가 어떤 숫자를 넣든 결국은 넘치지도 부족하지도 않은 정확한 값을 돌려준다.

소리 없이 그러나 확실하게 어떤 비밀이든 밝혀지고, 어떤 죄든 처벌되며, 어떤 덕이든 보상받고, 어떤 잘못이든 바로잡힌다. 이것이 우주의 필연 법칙이고 우주가 살아 있다는 증거이다.

죄와 벌은
같은 줄기에서
자란다

죄와 벌은 같은 줄기에서 자라난다. 벌은 쾌락의 꽃 속에서 알지 못하는 사이에 무르익는 열매와 같다. 원인과 결과, 수단과 목적, 씨앗과 열매는 분리할 수 없다. 결과는 원인 속에서 꽃 피기 시작하고, 목적은 수단 속에, 열매는 씨앗 속에 존재한다.

이렇게 세계는 흩어지지 않고 하나가 되기를 바라는데, 인간은 편파적으로 행동하고 분열하며 자기 것으로 만들어 혼자 쓰려고 한다. 우리 인성에 필요한 것들 중에서 감각적인 쾌락만을 따로 떼어내 즐기려고 한다.

인간은 이 문제를 해결하는 데 모든 재능을 쏟아부어왔다. 말초적인 감미로움, 말초적인 힘, 말초적인 아름다움을 정신적인 감미로움, 정신적인 깊이, 정신적인 아름다움에서 분리하는 문제에만 매달려온 것이다.

말은
우리의
자화상이다

말은 사람을 판단하는 잣대가 된다. 원하든 원치 않든, 우리는 말 한 마디 한 마디로 상대의 눈앞에 우리의 자화상을 그린다. 모든 말은 그 말을 하는 사람에게 영향을 미친다.

말은 고래를 향해 던진 창과 같다. 창을 던지는 순간, 배 안의 밧줄이 풀리면서 창이 날아간다. 그런데 창이 잘못 만들어졌거나 던지는 방법이 서툴면, 타수가 창에 베어 몸이 두 동강 나거나 배가 침몰해버릴 수도 있다.

이처럼 말로 다른 사람에게 상처를 주면 자신도 반드시 해를 입게 된다.

사랑, 앎, 아름다움에는
결코
제한이 없다

정직은 어떤 대가를 지불해야 얻을 수 있는 것이 아니다. 모든 미덕이나 지혜에는 아무런 대가가 없다. 미덕을 행할 때 우리는 온전히 존재하고, 세상에 무언가를 보태게 된다.
이런 순수한 시각에서 보면 사랑이나 앎, 아름다움에는 지나침이 있을 수 없다. 영혼은 미덕의 제한을 용납하지 않으며, 언제나 낙천주의를 주장할 뿐 결코 염세주의를 말하지 않는다.

빛을 얻으려면 그림자도 받아들여야 한다

우리는 위대해지고 싶어 한다. 관직과 부와 명예와 권력을 얻고 싶어한다. 그런데 우리는 자연의 한 가지 면만 얻는 것을 위대해지는 것으로 착각한다. 쓴맛은 빼고 단맛만을 얻으려고 한다. 그러나 이런 분리와 나눔에는 끊임없는 반작용이 뒤따른다. 지금까지 이것을 시도했다가 조금이라도 성공을 거둔 사람은 아무도 없다.

어떤 것의 일부만 취하고 감각적으로 좋은 면만 소유하려는 것은, 외부가 없는 내부만을 혹은 그림자 없는 빛만을 얻으려는 것과 같다.

피할 수 없는
삶의 조건

인생에는 피할 수 없는 여러 조건들이 있다. 어리석은 사람은 그것을 피하고자 하고, 어떤 사람들은 알려고 하지도 않는다. 자신과는 상관없는 일이라고 큰소리친다. 하지만 아무리 큰소리쳐도 삶의 조건에서 벗어날 수는 없다. 어느 부분에서는 피할 수 있어도 다른 치명적인 부분에서는 공격을 피하지 못한다.

부담과 이익을 분리하려는 시도가 그 예이다. 이 둘을 분리하려는 것은 사물의 감각적인 매력은 보면서 그 해악은 보지 못하고, 인어의 머리만 보고 꼬리는 못 보는 것과 같다.

역사의 어리석음

자연과 운명이 언제나 우리의 어리석음을 지켜보고 있다. 뽐내며 걸어갈 때 자연은 우리를 발이 걸려 넘어지게 한다. 이런 민족적 오만의 흥미로운 실례들은 역사 속에서도 찾아볼 수 있다.

실리시아의 에피파니아에서 태어난 카파도키아의 조지는 천박한 아첨꾼이었으며 군대에 베이컨을 납품해서 많은 이득을 보았다. 그는 사기꾼에 밀고자였으며 부자가 되어 정의를 배반했다. 세빌랴의 피클 장수였던 아메리고 베스푸치는 1499년에 호제다와 함께 갑판장의 부관으로 바다에 나갔다. 그리고 이 최초의 탐험에서 콜럼버스를 대신해 자신의 부정한 이름으로 지구의 반쪽에 세례를 주었다. 그러나 아무도 그에게 돌을 던질 수 없다. 우리도 똑같이 궁색한 창설자들을 갖고 있다. 거짓 오이지 장수나 거짓 베이컨 장수나 모두 한가지이다.

Self-Reliance

자신의 삶을 주 교재로, 책은 주석으로

인간이 위대해질수록 책은 보잘것없는 것이 된다.
고난과 재난, 분개, 결핍은 지혜를 가르쳐주는 교사이다.
호미와 삽은 배운 사람에게나 못 배운 사람에게나
동일한 가치를 지닌다.

자신의 삶을 주 교재로, 책은 주석으로

배우는 자는 역사를 능동적으로 해석해야지 수동적으로 읽으면 안 된다. 자신의 삶을 주요 교재로 삼고, 책은 주석처럼 이용해야 한다. 그러면 역사의 여신이 자신을 존중하지 않는 사람에게는 결코 내리지 않는 신탁을 그에게 내려줄 것이다.

먼 옛날 널리 이름을 떨친 사람들의 업적이 오늘날 자신이 하는 일보다 더 의미 있다고 생각하는 사람은 결코 역사를 바르게 읽지 못한다. 배우는 자는 자신의 몸속에 온 역사가 살아 있음을 알아야 한다. 그리고 당당히 집에 앉아 자신이 세계의 어떤 나라 어떤 정부보다도 위대함을 깨달아야 한다.

배우는 자의 조건

배우는 자는 자유로워야 한다. 자유롭고 용감해야 한다. '자신의 본성에서 우러나지 않는 한 어떤 속박도 받지 않는다'라는 자유의 정의에 따라야 한다.

배우는 자는 또한 용감해야 한다. 배우는 자라면 마땅히 공포를 버려야 한다. 공포는 언제나 무지에서 솟아난다. 위험한 시기에 자신은 보호받는 계층이라고 생각하며 두려움을 회피하는 것은 부끄러운 일이다. 또 타조처럼 꽃이 만발한 숲에 머리를 숨기거나, 두려움을 잊고 용기를 북돋우기 위해 휘파람을 부는 아이처럼 시를 읊조리면서 일시적으로 평화를 구하는 것도 수치스러운 일이다. 그런 노력에도 두려움은 가시지 않으며 두려움은 우리에게 더욱 안 좋은 영향을 미친다.

배우는 자는 당당하게 돌아서서 두려움을 직면해야 한다. 두려움의 눈을 들여다보고, 본성을 탐색하며, 근원을 살펴야 한다. 바로 앞에서 두려움이라는 사자가 새끼를 낳는 모습을 지켜보아야 한다. 그러면 두려움의 본성과 영역을 완전히 파악할 수 있을 것이다.

자연과
배우는 자의
마음

사람의 마음에 감화를 주는 것 가운데 가장 빠르고 중요한 것은 자연이다. 매일 해가 뜬다. 해가 지면 밤이 오고 별이 뜬다. 끊임없이 바람이 분다. 끊임없이 풀이 자란다. 여자와 남자는 말을 주고받고 서로를 바라본다. 배우는 자는 이 모든 광경에 가장 많이 관심을 기울이는 사람이다. 그는 마음속으로 이 모든 것의 가치를 판단한다.

자연은 그에게 어떤 것일까? 신이 만들어낸 이 신비롭고 끝없는 천에는 처음도 마지막도 없다. 그 자신으로 환원하는 원(圓)과 같은 힘이 있을 뿐이다. 이런 면에서 자연은 배우는 자의 마음과 유사하다. 배우는 자는 자기 마음의 처음과 끝이 어디인지 알지 못한다. 그만큼 그의 마음은 완전하고 무한하다.

생각의
탄생

배우는 자는 주위의 세계를 자신 속에 받아들인다. 이 세계에 대해 명상하고, 새로운 가치를 부여하고, 그것을 다시 토해낸다. 세계는 생명이 되어 그의 마음속에 들어갔다가, 진리가 되어 그에게서 나온다. 생명력이 짧은 상태로 들어갔다가, 불후의 사상이 되어 나온다. 죽은 사실이었던 것이 이제는 살아 있는 사상이 된 것이다. 사상은 이제 스스로 설 수 있고, 걸을 수 있다. 인내하고, 비상하며, 영감을 준다. 그것을 만들어낸 마음의 깊이만큼 높이 날고 오래 노래 부른다.

올바른 책 사용법

연약한 청년들이 도서관에서 성장하고 있다. 그들은 키케로, 로크, 베이컨의 사상을 받아들이는 것이 자신의 의무라고 믿는다. 하지만 키케로나 로크, 베이컨도 책을 썼을 때 도서관에 있던 청년에 불과했다는 사실은 모른다.

이로 인해 '생각하는 사람'이 아니라 '책벌레'가 생겨나고 있다. 책 자체를 존중하는, 책에만 박식한 계층이 생겨나는 것이다. 잘 사용하면 책 이상의 것은 없다. 하지만 잘못 사용하면 책보다 나쁜 것도 없다. 그렇다면 책을 잘 사용하는 방법은 무엇일까?

책은 다만 영감을 얻는 데만 유용하다. 책에 매혹돼 자기 삶의 궤도에서 벗어나거나 스스로 체계를 만들지 않고 위성(衛星)이 되어버릴 바에는 차라리 책을 안 읽는 편이 낫다.

모방과
창조

어떤 재능을 갖고 있든, 창조하지 않으면 그 재능은 자신의 것이 될 수 없다. 타다 남은 불 기운이나 연기는 있을지 몰라도, 불꽃은 만들 수 없다.

세상에는 분명히 창조적인 행위와 언어가 있다. 관습이나 권위를 암시하지 않는, 마음속의 선하거나 악한 의식에서 자발적으로 솟아나오는 행위나 언어가 있다는 말이다.

그러나 우리의 마음이 스스로 진리를 보지 못하고, 다른 사람의 마음에서 진리를 받아들인다고 하자. 그러면 밝은 빛이 폭포수처럼 쏟아져 들어와도, 고독을 음미하고 자기 자신을 회복하는 시간이 없기 때문에 오히려 치명적인 손상을 입게 된다.

창조적인 독서와 창조적인 가르침

마음이 배우고자 하는 열정과 창의력으로 긴장해 있으면, 어떤 책을 읽든 모든 페이지에서 다양한 암시를 받고 정신이 명료해진다. 모든 문장은 의미가 두 배로 다가오고, 저자의 식견도 세계만큼이나 광대하게 느껴진다.

눈이 밝은 사람은 플라톤이나 셰익스피어의 책에서 아주 적은 부분만 읽는다. 신의 참된 가르침이 적혀 있는 부분만 읽는 것이다.

하지만 아무리 현명한 사람도 꼭 읽어야 할 독서의 영역이 있다. 역사와 정밀과학은 애써 읽고 배우지 않으면 안 된다. 마찬가지로 학교도 필수적으로 해야 할 일이 있다. 읽기, 쓰기 같은 기초적인 것을 가르치는 것이다. 그러나 이것도 학교가 숙달이 아닌 창조를 목적으로 가르칠 때에만 도움이 된다.

사상과 지식은 본질적인 것이므로 그것을 얻는 데 제도나 형식 같은 것은 아무 소용이 없다. 오히려 그 속에 빠져서 창조성을 잃어버리면, 화려한 교수복이나 황금의 도시를 쌓을 만한 기부금으로도 지혜 넘치는 말 한 마디, 문장 하나 만들어낼 수 없다. 이런 점을 잊으면, 대학은 해마다 재산은 늘릴지언정 사회적인 중요성은 점차 잃어갈 것이다.

생활이 우리의 사전이다

[illegible] 내야 한다. 생활은 우리의 사전과 같다. 시골에서의 노동, 도시 생활, 장사와 제조업을 배우는 일, 여러 사람들과의 진솔한 교제, 학문과 예술에 바치는 시간은 결코 헛된 것이 아니다. 그 모든 활동을 통해 우리의 생각을 구체적으로 드러내고 표현하는 언어를 파악할 수 있기 때문이다.

어떤 연설가의 말을 듣든, 그가 사용하는 언어의 빈약함과 풍요로움을 보면 나는 그가 삶을 얼마나 경험했는지 알 수 있다. 건물을 짓는 데 사용하는 타일과 층샛돌이 채석장에서 나오듯, 말은 우리의 삶 속에서 우러 나오기 때문이다. 이것이 우리가 문법을 배우는 방식이다. 대학이나 책은 단지 들판이나 공장에서 만들어진 언어를 복사할 뿐이다.

진정한 일꾼

곡식을 키우는 사람은 들판으로 나가 곡식을 거두어들인다. 그러나 이들 가운데 자기 일의 참된 존엄성에서 힘을 얻는 사람은 별로 없다. 곡식과 마차는 보지만 그 외에는 아무것도 보지 못한다. 그래서 밭에서 일하는 사람이 아니라 일개 농부로 전락해버린다. 상인도 자신의 일에 이상적 가치를 부여하지 못하고, 틀에 박힌 매매술에 얽매여 돈에 영혼을 팔아버린다. 승려는 의식으로, 변호사는 법전으로, 직공은 기계로, 선원은 배의 밧줄로 축소될 뿐이다.

직능의 분할 면에서 보면 학자는 지력을 대표하는 사람이다. 바람직한 상태에 있을 때 학자는 생각하는 사람이 된다. 그러나 타락하거나 사회의 희생자가 될 때는 단순한 사상가, 더욱 나쁘게는 남의 사상을 흉내 내는 앵무새가 돼버린다.

나를 읽는 시간

'생각하는 사람'은 그의 도구에 굴복하지 말아야 한다. 책은 학자의 한가한 시간을 위한 것이다. 신을 직접 읽을 때는 그 시간이 너무 소중하기 때문에 다른 사람이 읽은 내용을 기록한 것에 낭비할 틈이 없다. 그러나 누구에게나 그렇듯 암흑의 시기가 다가오면, 태양이 숨어버리고 별빛도 사라져버리면, 우리는 이 빛들로 밝힌 등불에 의지해서 다시 여명이 돋아오르는 동쪽으로 걸음을 옮긴다. 우리가 듣는 것을 말하기 위해서이다. 아라비아의 속담처럼 무화과는 무화과를 바라보며 열매는 맺는다.

창조적인 읽기

누구나 알 듯 삶은 풀이든 구두 가죽으로 만든 수프든 모든 음식이 사람의 몸을 살찌울 수 있다. 마찬가지로 어떤 지식이든 인간의 마음에 영양분을 공급할 수 있다. 영웅이나 위인들 중에는 오로지 인쇄된 책장에서만 지식을 얻은 이들도 있다. 그러나 이런 음식을 소화해내려면 튼튼한 두뇌가 있어야 한다. 책을 현명하게 읽으려면 창조적인 사람이 되어야 한다. 속담이 말하듯 "인도 제도의 부를 가져오고 싶은 사람은 인도 제도의 부를 운반할 수 있어야 한다."

행동하지 않는 것은 비겁한 일이다

행동하지 않는 것은 비겁한 일이다. 진정한 학자치고 용맹심이 없는 사람은 없다. 행동은 사상의 출발로서 사상이 무의식에서 의식의 상태로 변화한 것이다.

우리는 우리가 살아온 만큼만 안다. 우리는 누구의 말에 생명력이 있고 누구의 말에 생명력이 없는지 즉시 알아챈다. 우리 주위에는 영혼의 그림자 혹은 우리의 그림자인 세계가 널리 펼쳐져 있다. 그 세계는 우리의 사상을 열어주고, 우리 자신을 알게 해주는 열쇠와도 같다.

나는 그 소란 속으로 기꺼이 달려 들어간다. 옆 사람의 손을 잡고 무리 속으로 들어가 자리를 잡은 채 함께 괴로워하고 함께 일한다. 우리는 자신의 경험을 통해 인생을 아는 만큼만 불모의 황무지를 정복하고 그곳에 나무를 심을 수 있으며, 우리의 존재와 영역을 확장할 수 있다. 그러므로 체력을 아끼거나 한가하게 낮잠을 자기 위해 자신이 할 수 있는 행동을 하지 않는 사람을 나는 이해할 수 없다.

생각과
경험

인간은 몇 세대 동안 생각을 거듭해도, 사랑의 열정 속에서 단 하루 만에 깨달을 정도의 자각도 얻지 못한다. 모욕을 당하고 분노에 떨어보지 않고서, 감동적인 말에 가슴 울렁거려보지 않고서, 국가적인 경악이나 흥분의 순간에 많은 사람들과 함께 흥분해보지 않고서 누가 자신을 알 수 있겠는가?
어느 누구도 자신의 경험을 앞당길 수는 없다. 오늘 갑자기 어떤 일이 일어나 우리의 새로운 능력이나 감정을 불러일으킬지 예측할 수 없다. 내일 처음으로 만나는 사람의 얼굴을 오늘 그릴 수 없는 것처럼.

고전의 힘

위대한 시인은 우리가 스스로 충만한 존재임을 느끼게 해준다. 이로 인해 우리는 그의 작품을 대수롭지 않게 여긴다. 위대한 시인이 전하는 최고의 가르침은 우리로 하여금 그가 이룬 일체의 것을 경시하게 만드는 것이다.

셰익스피어는 우리를 지적 활동의 최고봉으로 이끌어서 그 자신의 재능까지 아주 초라하게 느끼도록 만든다. 그리하여 우리는 그가 창조해낸 찬연한 작품들, 이제까지 독보적인 시로 찬양해온 작품들을 이제는 우리의 진정한 본성을 강하게 사로잡지 못하는 작품처럼, 지나가는 나그네가 바위 위에 던진 그림자에 불과한 작품처럼 생각한다.

상식과
실천

상식을 만들기 위해 쉬지도 않고 매일매일, 얼마나 지루한 훈련을 계속하고 있는가? 이로 인한 번거로움과 불편, 딜레마들이 얼마나 많은가? 소인배들은 우리의 실패를 얼마나 기뻐하고, 가격 분쟁은 얼마나 많으며, 얼마나 많은 이해관계들이 충돌하는가?
하지만 이 모든 일은 '마음의 손'을 만들기 위한 것이다. "좋은 생각도 실천이 없으면 좋은 꿈에 지나지 않는다"라는 가르침을 주기 위한 것이다.

슬픈 전도몽상

도덕이나 아름다움, 훌륭한 인격을 추구하는 사람도 이따금 두통에 시달리거나 곤경에 빠진다. 추운 겨울날 방을 따뜻하게 데우기 위해 귀중한 시간들을 흘려보낸다.
그런데 정말로 불행한 것은, 그가 이런 사소한 불편을 없애려고 애쓰는 사이에 관심사가 뒤바뀌어버린다는 점이다. 처음의 목적은 잃어버리고, 당면한 불편의 해결을 목적으로 삼는 것이다.

사물을 있는 그대로 바라보지 못하고, 어리석음이나 착각에 빠져 거꾸로 보는 상태를 일컫는다.

시민의 한계,
정치의 한계

현명한 사람들은 안다. 잘못 만들어진 법률은 살짝만 비틀어도 끊어지는 모래 밧줄과 같다는 것을. 국가는 시민의 성격이나 시민이 나아가는 방향을 이끄는 것이 아니라 오히려 따라야 한다는 것을. 가장 강한 독재자는 가장 먼저 제거된다는 것을. 권력이 아니라 이념을 기초로 만든 정책이나 정당만이 영원히 이어진다는 것을. 지금 널리 퍼져 있는 정치적 지배 구조는 그것을 허용한 유권자들이 지닌 교양의 표현이라는 것을.

책 속에서 만나는 나만의 전기

[illegible] 사람은 안다. 역사나 시, 이야기 속에도 얼마나 중요한 보물이 들어 있는지를. 시인은 기이하고 비현실적인 상황을 묘사하는 인물이 아니라, 모두에게 진실한 고백을 전하는 사람이라는 것을.

그리고 놀라울 정도로 잘 이해되는 오래된 시 속에서 자신의 비밀스러운 전기(傳記)를 발견한다. 자기만의 은밀한 모험 속에서 이솝과 호머, 하피즈, 아리오스토, 초서, 스코트의 이야기들을 하나하나 만나고, 자신의 머리와 손으로 그 이야기들을 확인한다.

재능의
두 얼굴

재능은 불과 같다. 재능을 가진 사람이 경솔하고 몰인정할 때, 이 불은 인간이라는 훌륭한 집을 태워버린다. 뛰어난 재능은 최고의 미덕이지만 가장 큰 해악도 될 수 있다.

모든 길은 마음으로 통한다

[illegible] 제국의 군대가 쉽게 진입할 수 있도록 광장을 중심으로 해서 동서남북으로 도로를 놓았다. 그리고 그 도로가 제국 내 모든 지방의 중심을 지나 페르시아와 스페인, 브리튼의 각 소도시까지 연결되게 하였다.
마찬가지로 인간의 마음에서 모든 자연물의 중심으로 큰 길이 뻗어 있다. 외부의 대상을 인간의 영향력 아래 놓기 위해서이다.
인간은 모든 관계들의 다발이자 모든 뿌리들의 덩이이다. 이 다발과 덩이에서 꽃이 피어나 결실을 맺은 것이 세계이다. 인간의 모든 능력은 외부의 자연과 연결되어 있으며, 우리가 살고자 하는 세계를 예견한다.

인간의 진정한 얼굴

인간은 자신의 세계를 갖지 않고서는 살 수 없다. 나폴레옹을 육지에서 멀리 떨어진 섬에 가두고, 누구에게도 영향력을 행사하지 못하며 살게 해보라. 올라갈 알프스 산도, 목표로 삼을 모험도 없는 삶을 살게 해보라. 그러면 그는 헛수고만 일삼는 어리석은 사람처럼 보일 것이다.
반면에 그를 큰 나라들과 많은 사람들, 복잡한 이해관계, 적대적인 세력들 사이에 놓아보라. 그런 관계에 속박되어 있는 나폴레옹은 진정한 나폴레옹이 아니다. 결국 그는 탤벗*의 그림자에 불과하다는 것을 깨달을 것이다.

사회는
진보하지
않는다

사회는 진보 진보하지 않는다. 한쪽에서 전진하면 다른 쪽에서는 빠르게 후퇴한다. 사회는 부단히 변화를 겪는다. 미개한 사회가 개화하고, 기독교가 지배하고, 물질적으로 풍요로워지고, 과학이 발달하기도 한다. 하지만 이런 변화가 모두 진보는 아니다. 어떤 것을 얻으면 언제나 다른 것을 잃어버린다.

우리는 새로운 기술을 얻으면 예전의 본성은 잃어버린다. 좋은 옷을 입고, 글을 읽거나 쓰며 사색하고, 시계와 연필과 어음장을 주머니에 넣고 다니는 미국인과 가진 거라곤 곤봉과 창, 거적이 전부이고, 칸막이도 없는 헛간 같은 곳에서 잠을 자는 뉴질랜드인은 얼마나 대조적인가. 그러나 이 둘의 건강을 비교해보면, 미국인은 새로운 기술을 얻은 대신 본래의 생명력을 잃어버렸음을 알게 될 것이다.

마차는 발을 무용지물로 만들었다

마차가 생기면서 우리의 발은 무용지물이 되어버렸다. 지팡이에 몸을 의지하게 되면서 근육의 힘이 현격하게 저하되었다. 섬세한 제네바 시계를 갖게 되면서 태양으로 시간을 알아보는 재간은 잃어버렸다.

그리니치 항해력으로 필요할 때마다 확실한 정보를 얻게 된 탓에 하늘의 별에 대해서는 백치가 되어버렸다. 하지나 동지에 주의를 기울이지도 않고, 춘분과 추분도 거의 모르게 되었다. 수첩은 기억력을 약화시키고, 도서관은 우리의 지력에 과도한 짐을 지워버렸다. 이뿐인가. 보험회사 탓에 도리어 사고 발생 건수가 늘어나지는 않았는지, 기계가 도리어 일에 방해가 되지는 않는지, 품위를 유지하느라 활기찬 생명력을 잃어버리지는 않았는지, 제도와 형식에 둘러싸인 종교로 야생 그대로의 활기를 잃지는 않았는지 의심스럽다.

삶은
한 줄에 꿰인
염주와 같다

[illegible] 꿈으로 이어진다. 이런 환영(幻影)에 끝은 없다.

삶은 한 줄에 꿰인 염주와 같이 이런저런 감정들로 줄줄이 이어져 있다. 우리가 이 감정들을 하나하나 통과할 때마다, 이것들은 다채로운 색깔의 렌즈가 되어 각기 독특한 빛깔로 세상을 물들인다. 그리고 우리는 그 초점 속에 들어오는 것만을 본다.

사람이 타락하면 언어도 부패한다

사람이 타락하면 언어도 함께 부패한다. 사람들은 새로운 표현을 창조하지 않고, 낡은 언어를 악용해서 실재하지도 않는 사물들을 표현한다. 금고 안에 금덩어리가 없어서 지폐를 통용시키는 것과 같다.

머지않아 이런 기만은 드러나고, 언어는 우리의 지성이나 감성을 자극하는 힘을 완전히 상실한다. 하지만 현명한 사람은 부패한 말씨를 간파하고, 언어를 다시 눈에 보이는 사물과 연결시킨다. 그러므로 살아 있는 언어는 그것을 쓰는 사람이 진리는 물론이고 신과도 하나 된 사람임을 보여주는 분명한 증거이다.

언어로는
진리를 모두
담아낼 수 없다

언어는 무한한 정신의 유한한 기관이다. 언어로는 진리의 여러 가지 차원들을 모두 담아낼 수 없다. 언어는 진리를 파괴하고, 절단하고 빈약하게 만든다. 반면 행위는 생각을 완성하고 분명하게 드러낸다. 그러므로 올바른 행위는 우리의 영혼을 충만하게 만들고 모든 자연과 관계를 맺게 해준다.

Self-Reliance

그저 아는 것이 진리이다

물질의 아름다움은 결국 소멸하거나 시들어버린다.

그러나 도덕적 아름다움은 사랑스럽고 소멸되지 않으며 완전하다.

진리는 멀리 있는 목적을 이루기 위해 찾는 것이 아니다.

진리 자체가 궁극의 목적이어야 한다.

그저 아는 것이 진리이다

아이들을 다룰 때 나의 라틴어나 그리스어 실력, 업적, 돈 같은 것은 아무런 도움이 안 된다. 나의 영혼만이 도움이 될 뿐이다.
내가 고집이 세면 아이도 똑같이 나에게 고집을 부린다. 그러면 난 부끄럽게도 완력을 써서 아이를 때린다. 하지만 내가 고집을 버리고, 영혼의 소리에 따라 움직이고, 영혼을 둘 사이의 심판관으로 삼으면, 아이의 눈에서도 똑같은 영혼이 빛난다. 나와 더불어 존경과 사랑으로 충만해진다.
우리는 진리와 마주하면 즉시 그것이 진리임을 알아차린다. 회의적이거나 냉소적인 사람들이 뭐라 하든 신경 쓰지 않는다. 어리석은 사람들은 듣기 싫은 소리를 들으면 이렇게 묻는다.
"그것이 진리라는 것을, 당신 말이 맞다는 것을 어떻게 알죠?"
그러나 진리를 보면 그것이 단순한 의견이 아니라 진리임을 안다. 눈을 떴을 때 자신이 눈을 뜨고 있음을 아는 것처럼.

진리에
다가가는
길

진심으로 진리를 얻고자 하는 사람은 자신과 세계의 관계에 대해서 아직도 배울 것이 많음을 안다. 하지만 이미 아는 지식을 더하거나, 빼거나, 다른 것들과 비교하는 방식으로는 배움을 얻을 수 없다. 영혼이 자연스럽게 차오르고, 지속적으로 자기를 성찰하고, 완벽히 겸허해야 한다.
또 논의의 여지가 없는 단정보다 추측이 더 좋은 결실을 맺게 해주고, 백 번의 실험보다 한 번의 몽상이 자연의 비밀을 더욱 깊이 캐들어가게 해준다.

가장
황홀한
순간

신의 뜻이 우리의 마음속으로 흘러드는 것. 이것이 바로 영적인 소통이다. 이것은 생명이라는 바다의 출렁이는 파도 앞에서 개인의 작은 흐름들이 썰물처럼 물러나는 것과 같다.

새로운 진리를 받아들일 때, 위대한 행동을 할 때, 자연의 심장에서 비롯된 전율이 우리의 가슴을 관통한다.

이런 영적인 소통에서 생기는 힘은 행동하는 의지와 분리되지 않는다. 이 힘에 순응할 때 통찰이 생기고, 순응은 환희에 찬 인식에서 비롯된다. 이런 영적인 소통의 순간이야말로 가장 황홀한 순간이다.

스스로 아는 길

계시는 영혼이 스스로를 드러내는 것이다. 일반적으로 사람들은 운세를 알려주는 것을 계시라고 생각한다. 그러나 이런 가벼운 호기심은 자제해야 한다. 말로 된 답은 착각을 일으키기 쉽다. 이런 답은 우리의 질문에 해답을 주지 못한다.
그대가 노 저어 가는 나라가 어떤 나라인지 설명을 구하지 말라. 내일 그 나라에 도착해서 살아보면 스스로 알게 될 것이다.

현자는 우리 스스로 판단하게 만든다

사회적 관계나 직업, 종교, 우정, 다툼 등은 인성을 판별하는 법정과 같다. 정식 대법정이든, 소위원회이든, 원고와 피고만 대면하는 약식 법정이든, 우리는 자신을 드러내놓고 판단을 받는다. 그리고 인성의 판단에 결정적인 역할을 하는 사소한 것들을 노출한다.

그런데 판단은 누가 하는가? 우리의 지성은 아니다. 학문이나 기술로 판단을 하는 것도 아니다.

현자는 우리 스스로 자신을 판단하게 한다. 현자는 다만 그 판단을 읽고 기록할 뿐이다.

인간은 수원이 감추어져 있는 강물과 같다

인간은 수원이 감추어져 있는 하나의 흐름과 같다. 우리의 존재는 근원을 알 수 없는 어떤 것에서 우리에게로 흘러든다. 미래를 가장 정확하게 예측하는 사람도 다음 순간 어떤 알 수 없는 일이 일어나서 우리를 방해할지 알 수 없다. 나도 어떤 사건이 일어날 때마다 나의 의지보다 한층 고차원적인 근원이 존재한다는 것을 인정하게 된다.

사상도 마찬가지이다. 내가 모르는 어떤 곳에서 내 마음속으로 흘러드는 저 강물을 바라볼 때마다, 나는 내가 수혜자임을, 수원이 아니라 이 신비로운 물을 놀라운 눈으로 바라보는 구경꾼임을 깨닫는다. 나는 다만 갈망하고 바라보며 받아들인다. 이 광경이 내가 아닌 어느 아득한 원동력에서 시작된 것임을 깨닫는다.

영혼에 이르는 길

마음이 숭고하고 소박한 사람과 대화를 나누어보라. 그러면 문학도 한낱 말장난처럼 느껴질 것이다.

가장 가치 있는 말은 가장 꾸밈없는 말이다. 그러나 이런 말은 너무 흔하고 당연한 것이어서, 몇 개의 자갈을 주워 모으거나 약간의 공기를 병에 담는 일처럼 하찮게 여겨진다. 영혼의 무한한 풍요 속에서는 전 대지와 전 대기가 우리의 것이기 때문이다. 그러므로 진정한 영혼에 이르려면 모든 허식을 버리고, 적나라한 진실과 솔직한 고백 속에서 일대일로 영혼과 대면해야 한다.

벽이
사라지는
순간

색깔을 나타내는 말이 아무리 많아도 우리의 언어로는 자연을 완벽하게 그려낼 수 없다. 자연은 너무나 신비로운 존재이기 때문이다. 자연은 정의할 수도, 측정할 수도 없다. 그러나 자연이 우리 안에 고루 스며 있으며 우리를 포용하고 있다는 것은 알 수 있다. 모든 영적인 존재가 우리 안에 있다는 것은 알 수 있다.

"신은 종소리 없이도 우리를 보러 온다"라는 오래된 지혜의 말도 있지 않은가. 우리의 머리와 무한한 하늘 사이에 어떤 장막이나 천장도 없는 것처럼, 결과인 인간이 사라지고 원인인 신이 나타날 때 영혼 속에는 어떤 장애물도 없다. 벽이 사라지는 것이다. 그러면 비로소 정의를, 사랑을, 자유를, 힘을 깨닫고 보게 된다.

젊음은 어디에서 오는가?

[illegible] 계산하는 나이나 젊음과는 또 다른 젊음과 나이가 우리에게 있다는 느낌이 들 때가 있다. 실제로 어떤 생각은 우리를 언제나 젊은이처럼 느끼게 해주고, 항상 젊음을 유지하게 도와준다. 보편적이고 영원한 아름다움에 대한 사랑이 바로 그것이다.

두 개의 저울

몸이 아프거나 권태로울 때, 한 구절의 시나 심오한 문장은 새로운 힘을 불어넣어 준다. 플라톤이나 셰익스피어의 책을 한 권 꺼내 보거나 이들의 이름을 떠올리기만 해도, 즉시 생기를 얻는다. 깊고 신성한 생각은 이처럼 몇백 년, 몇천 년을 건너뛰어 모든 시대에 현존한다.
그리스도의 가르침이 그가 처음으로 입을 열었을 때보다 지금 의미가 약해졌는가? 어떤 인물과 사실이 갖는 중요성은 시간과는 상관이 없다. 영혼의 저울은 감각이나 이성의 저울과는 다르다. 영혼이 스스로를 드러내는 순간, 시간과 공간과 자연은 뒷걸음질친다.

영혼의
진보

영혼은 한결같이 앞을 바라본다. 자기 앞에 새로운 세계를 창조하고 뒤에 여러 세계들을 남기며 나아간다. 그에게는 시간도, 의식도, 특기도, 인간도 없다. 영혼은 그저 영혼만을 알 뿐이며, 그물망처럼 얽혀 있는 여러 사건들은 그저 영혼이 척 늘어뜨려 입은 옷에 지나지 않는다.

영혼은 자신의 법칙을 좇아 나아가므로 영혼이 진보하는 속도는 수학적으로 계산할 수도 없다. 영혼의 진보는 직선운동처럼 단계적으로 이루어지지 않는다. 알이 유충이 되고 유충이 나방이 되듯 상태의 도약을 통해 이루어진다.

스스로 행복한 사람

겸양과 정의, 사랑, 열망을 가진 사람은 이미 과학과 예술, 말과 시, 활동성과 우아함 같은 것을 마음대로 할 수 있는 단상에 서 있다. 정서적으로 더 없이 행복한 사람은 세상 사람들이 높이 평가하는 특별한 능력이나 재주를 이미 갖고 있다. 사랑에 빠진 처녀에게는 연인이 능력도 기술도 없다는 것이 아무런 문제도 되지 않는다. 더 없이 높은 정신에 스스로를 내맡긴 사람은 절대자의 모든 일에 자신이 관련되어 있음을 깨닫고, 아무런 두려움 없이 당당하고 자연스럽게 특별한 앎과 힘에 도달한다.

어른이 된다는 것

젊었을 때는 미친 듯이 사람을 원한다. 어린 시절과 청소년 시절에는 사람들 속에서 온 세계를 본다. 그러다 사람에 대한 경험이 쌓이면, 모든 사람들 속에 동일한 본성이 흐르고 있음을 깨닫는다.

영혼의 성장만이 진정한 이득이다

미덕으로 인한 이득에는 아무런 부담도 없다. 그것은 비교를 초월한 절대적 존재인 신의 수입이기 때문이다. 그러나 물질적인 이득에는 대가가 따른다. 아무런 공도 노력도 없이 얻은 이득이라면, 나에겐 이득을 볼 아무런 근거가 없다. 이런 이득은 어느 날 바람이 불면 날아가 버리고 만다.

자연의 모든 이득은 영혼의 것이다. 그러므로 자연의 적법한 화폐, 즉 가슴과 머리가 허락한 노동으로 대가를 지불하면 그 이득을 소유할 수 있다.

나는 이제 노력하지 않은 이득이 저절로 굴러들어오는 것을 바라지 않는다. 이런 일에는 반드시 새로운 부담이 뒤따르리라는 것을 알기 때문이다.

이득은 실속 없고 대가는 확실하다. 그러나 이런 보상의 이치가 엄연히 존재한다는 것을 아는 데는, 내 것이 아닌 보물은 바라면 안 된다는 것을 아는 데는 아무런 대가도 따르지 않는다.

나는 이런 마음으로 고요히 영원의 평화를 즐긴다.

영혼의 성장은 말을 통해서 드러난다

누군가의 영혼이 성숙한지 어떤지는 그 사람의 말을 들으면 알 수 있다. 자신의 중심을 발견하면, 신성한 영혼은 우리가 원래 갖고 있던 무지와 무례, 불리한 환경 같은 온갖 요소를 뚫고 밖으로 스스로 드러낸다. 그래서 영혼을 구할 때의 말투와 영혼을 얻었을 때의 말투도 달라진다.

신은
비겁한 자에게는
모습을 드러내지 않는다

모든 자연과 사상이 우리의 마음속에 존재함을 깨달아야 한다. 더 없이 높은 존재가 인간과 더불어 살고 있음을, 자연의 원천이 우리 마음속에 깃들어 있음을 알아야 한다. 그러면 예수가 말했듯 "밀실에 들어가 문을 닫아야" 한다.
신은 자신에게 비겁한 사람에게는 결코 모습을 드러내지 않는다. 위대한 신이 말하고자 한 바를 알고 싶다면, 다른 사람들이 올리는 모든 경배의 소리에서 물러나 자기 내면의 소리에 귀를 기울여야 한다.

진짜와 가짜

뛰어난 변론가로 인정받는 사람이나 세상의 이치를 잘 아는 사람과 자신의 생각에 도취되어 이런저런 예언을 해대는 광적인 신비가. 이 두 부류의 사람을 구분하는 기준은 다음과 같다.

한쪽은 사실의 참여자 혹은 소유자로서 자신의 '마음 안으로부터', 다시 말해 자신의 경험에서 우러난 말을 한다. 반면에 다른 한쪽은 단순한 방관자로서 '마음 밖으로부터' 말을 하거나 다른 사람의 생각을 토대로 아는 척한다.

신을
만나는
사람

우리의 종교는 저속하게도 신자의 수를 토대로 삼는다. 그러나 아무리 간접적으로라도 신자의 수로 호소하면, 그곳에는 종교가 없다고 선언하는 것이나 마찬가지이다.

신이 달콤한 생각처럼 자신을 감싸고 있음을 느끼는 사람에게 신자의 수는 중요하지 않다. 내가 신 안에 앉아 있는데 누가 감히 비집고 들어오겠는가? 완전히 겸허한 상태에서 휴식을 취하는데, 순수한 사랑으로 불타오르는데, 칼빈이나 스웨덴보리의 말이 무슨 의미가 있겠는가?

권위에 바탕한 신앙은 진정한 신앙이 아니다

신에게 호소할 때는 여럿이 하든 혼자서 하든 별 차이가 없다. 권위를 바탕으로 하는 신앙은 진정한 신앙이 아니다. 권위에 의존하는 것은 종교의 쇠퇴와 영혼의 쇠락을 가늠하는 기준일 뿐이다.
영혼은 위대하지만 평범하다. 영혼은 아첨꾼도, 추종자도 아니다. 결코 그 자신을 떠나 다른 것에 호소하지 않는다. 스스로를 믿기 때문이다. 모든 단순한 경험과 과거의 일은, 아무리 오점이 없고 성스러운 것이어도 인간의 무한한 가능성 앞에서는 보잘것없어진다.

우주를
가슴에
품은 사람

고독하고, 독창적이고, 순결한 영혼은 역시 고독하고, 독창적이고, 순결한 초월적 영혼에게 자신을 내맡긴다. 그러면 초월적인 영혼은 기꺼이 우리의 영혼에 깃들어 우리를 인도해준다. 우리의 영혼을 통해 말하는 것이다. 그러면 우리의 영혼은 환희에 차올라 더욱 젊고 활발해진다.

교양의 폐해 I

우리는 자연 법칙의 영속성은 받아들이면서, 자연이 절대적 존재라는 사실에는 여전히 의문을 품는다. 열이나 물, 질소 같은 현상은 확고히 믿으면서도, 자연을 하나의 실체가 아닌 현상으로 본다. 정령은 필연적으로 존재하는 것이라고 생각하면서도, 자연을 단순히 하나의 우연이나 인상으로 본다. 이는 교양이 인간의 마음에 미친 획일적인 영향 때문이다.

교양의
폐해 Ⅱ

소위 말하는 올바른 교육이라고 하는 것은 하나 같이 인간을 자연의 위치에 놓으려는 경향이 있다. 인간이 자연의 위치에 도달하는 것을 삶의 목적인 양 가르치고, 인간과 자연의 결합을 인간이 자연의 위치를 차지하는 것인 양 주입시킨다. 이처럼 잘못된 교육은 자연에 대한 생각을 뒤바꾸어, 실재를 피상적인 것처럼, 환영을 실재인 것처럼 부르게 만든다.

풍경과
나

빠르게 달리는 기차의 차창으로 아주 익숙한 시골 풍경을 바라볼 때, 얼마나 새로운 생각들이 우리를 스치는가!
가장 익숙한 대상도 조금만 다르게 보면 더 없는 즐거움을 선사한다. 암실에서 보면, 열차 안의 판매원이 끌고 다니는 수레도, 함께 여행하는 가족의 모습도 우리를 즐겁게 한다. 몸을 숙여 가랑이 사이로 풍경을 바라보라. 20년 동안 보아온 풍경도 말할 수 없이 새롭고 재미있게 보일 것이다!
이럴 때 우리는 관찰자와 풍경, 인간과 자연 사이의 차이점을 무의식적으로 생각하게 된다. 그래서 외경 어린 기쁨을 맛본다. 세계는 끊임없이 변하는 풍경으로 존재하는 반면 우리 안의 어떤 것은 결코 변하지 않음을 깨달으면서 숭고한 감정을 경험한다.

사물을 자신의 생각에 맞추는 사람, 자신의 생각을 사물에 맞추는 사람

감각적인 사람은 자신의 생각을 사물에 맞춘다. 반면에 시인은 사물을 자신의 생각에 꿰어맞춘다. 전자는 자연이 뿌리 박혀 고정된 것이라고 생각하는 반면, 후자는 자연을 유동적인 것으로 보고 자연 위에 자기의 존재를 새긴다. 그래서 감당하기 힘든 세계도 시인에게는 부드럽고 다루기 쉬운 곳이 된다.

시인은 먼지나 돌에도 인간성을 부여해서 그것을 이성의 언어로 표현한다. 그러므로 상상력은 이성이 물질계를 이용하는 수단이라고 할 수도 있다.

셰익스피어는 자연을 통해 자신의 생각을 표현하는 능력이 어느 시인보다도 탁월했다. 그는 제왕 같은 시혼(詩魂)으로 삼라만상을 마치 장난감처럼 이 손에서 저 손으로 던지면서 마음속에서 가장 먼저 떠오르는 심상들을 표현하는 데 이 장난감을 이용했다.

두려움과 권태가 사라지는 순간

경건한 마음과 열정이 있으면 누구나 이상적인 세계에 오를 수 있다. 그리고 어느 정도든 스스로 신성한 존재가 되어야만 신성한 본성과 만날 수 있다. 이 신성한 본성은 우리의 몸을 새롭게 만들어준다.

신성한 본성과 만나면 몸이 민첩하고 부드러워져서 기쁨에 어쩔 줄 모르게 된다. 삶은 더 이상 권태롭지 않으며, 앞으로도 영원히 그렇지 않으리라는 생각이 든다. 신성한 본성과 계속 소통하는 사람은 나이도 불행도 죽음도 두려워하지 않는다. 이미 변화의 차원에서 자유로워졌기 때문이다.

만물의 목적이자 원인인 그것

눈에 보이지 않는 생각의 발자취를 따라가다 보면, 물질은 어디에서 왔고 어디로 가는지 의문을 품게 된다. 그러면 많은 진실이 의식 깊숙한 곳에서 모습을 드러낸다. 우리는 더 없이 높은 존재가 인간의 영혼 속에 존재함을, 지혜도 사랑도 아름다움도 힘도 아닌 것, 이 모든 것의 총합이자 하나인 보편적 본질이 존재함을 알게 된다. 이 보편적 본질이 만물의 존재 목적이자 원인임을 깨닫는다.

강물에 돌 하나를 던져보라

사색에 잠기 강물을 바라보는 사람 중에서 만물의 끊임없는 변화를 생각하지 않는 이가 있을까?
강물에 돌 하나를 던져보라. 사방으로 번져가는 물살은 모든 감화의 아름다운 전형이다. 이때 인간은 자신의 내부에 보편적인 영혼이 존재함을 인식한다. 마치 하늘 속에서처럼, 이 보편적인 영혼 속에서 정의와 진리, 사랑, 자유가 일어나 빛을 발한다. 이 보편적인 영혼을 우리는 이성이라고 부른다.

생각과 사랑의 결합

세계가 가진 본래의 영원한 아름다움을 되찾아주려면, 먼저 우리의 영혼부터 회복해야 한다. 우리 눈에 비치는 자연의 황폐함이나 공허함은 우리 자신의 눈 속에 있는 것이다. 우리 시각의 중심축이 만물의 중심축과 일치하지 않아서 모든 것이 투명하지 않고 뿌옇게 보이는 것이다. 세계가 조화를 잃고 깨어져 무리를 이루고 있는 것은 인간이 자신으로부터 분열되어 있기 때문이다.

영혼의 모든 욕구를 충족시키지 않으면, 인간은 진정한 자연주의자가 될 수 없다. 영혼은 인식 못지않게 사랑도 요구한다. 한쪽이 없으면 사랑이든 인식이든 어느 것도 완전할 수 없다.

기도는 성찰하는 영혼의 독백이다

기도는 가장 높은 관점에서 삶의 모습들을 성찰하는 것이다. 진리를 보고 기쁨에 넘쳐 환호하는 영혼의 독백이다. 자신의 행위를 선한 것으로 선언하는 신의 정신이다.
사사로운 목적을 이루기 위한 수단으로서의 기도는 천박하다. 이런 기도는 도둑질을 하는 것이나 마찬가지이며 자연과 의식의 일치가 아니라 분리를 전제로 한다.
신과 하나가 되는 순간, 인간은 결코 구걸하지 않는다. 신과 하나가 되는 순간, 인간은 일체의 행위에서 기도를 발견한다. 풀을 뽑기 위해 들판에 무릎을 꿇은 농부의 기도, 노를 젓기 위해 배 바닥에 무릎을 꿇은 사공의 기도. 하찮을지언정 이런 참된 기도야말로 전 자연으로 울려퍼진다.

소박한 마음과
신성한 영혼

소박한 마음으로 신성한 지혜를 받아들일 때, 모든 낡은 것들은 사라진다. 교사, 경전, 사원, 이 모든 것들이 사라진다. 신성한 영혼은 현재에 살고, 과거와 미래를 현재의 시간 속으로 흡수한다.
세상에 존재하는 모든 것은 신성한 영혼과의 관계 속에서 신성해진다. 세상 만물은 그 근원에 의해 그들의 중심 속으로 녹아든다. 그리하여 우주적인 기적 속에서 개개의 작은 기적들은 소멸해버린다.
그러므로 어떤 사람이 신을 잘 알므로 신에 대해 말해주겠노라고 큰소리치면서, 다른 세계 다른 나라의 오래되고 틀에 박힌 말로 그대를 과거로 돌아가게 만들려고 한다면, 그를 믿지 말라.

받아들임

인간은 모든 지혜와 선을 품고 있는 신전의 앞면과 같다. 여기서 말하는 인간은 우리가 일반적으로 인간이라고 부르는 존재, 먹고 마시고 심고 계산하는 존재가 아니다. 우리는 그런 인간을 존경하지는 않는다.

영혼은 자신의 일부인 인간의 행위를 통해 스스로를 드러내 보임으로써 우리를 무릎 꿇게 한다. 영혼이 인간의 지력을 통해 숨을 쉬면 비범한 재능이 되고, 인간의 의지를 통해 숨을 쉬면 미덕이 되며, 인간의 애정을 통해 흐르면 사랑이 된다.

그러나 인간이 지력으로 저 혼자서 무엇이 되고자 하면 맹목적으로 흐르기 시작한다. 저 혼자서 무엇이 되고자 하면 의지가 약해지기 시작한다. '받아들임'은 영혼이 그 뜻대로 우리를 관통하게 허용하는 것이다.

영혼이
능력의
주인이다

몽상과 후회, 열정, 경악의 순간에 일어나는 일을 깊이 생각해보면, 이따금 우리가 가면을 쓰고 나타나는 꿈의 교훈을 잘 곱씹어보면, 자연의 비밀을 분명하고 폭넓게 알려주는 여러 가지 암시를 발견할 수 있다.

결국 모든 것은 인간 내면의 영혼이 하나의 기관이 아니라 다른 모든 기관에 생기를 불어넣고 작동시켜주는 것임을 보여준다.

영혼이 기억력이나 계산력, 비교력 같은 능력이 아님을, 그 모든 능력을 손이나 발처럼 이용하는 것임을 말해준다.

영혼이 하나의 능력이 아니라 빛임을, 지능이나 의지가 아니라 지능이나 의지를 부리는 존재임을, 모든 것을 포용하는 존재의 기반임을 알려준다.

소유되어지지 않고 소유되어질 수도 없는 무한이 영혼임을 보여준다.

힘은 변화의 순간 속에 있다

사실이 중요할 뿐, 과거의 삶은 아무런 의미가 없다.

활동을 멈추고 휴식하는 순간 힘은 사라진다. 힘은 우리가 과거로부터 새로운 상태로 옮겨가는 순간에, 소용돌이 속으로 뛰어들어 목적을 향해 돌진하는 순간에 생겨난다.

세상은 영혼이 변화 과정에 있다는 사실을 싫어한다. 왜냐하면 그것이 과거의 가치를 영원히 훼손시키고, 모든 부를 빈곤으로 바꾸고, 모든 명성을 치욕으로 만들고, 성자와 악한을 혼동하며, 예수와 유다를 똑같이 내치기 때문이다.

우리는 왜 '자기 믿음'에 대해 이야기하는 것일까? 영혼이 존재하는 이상, 거기에는 힘이 있기 때문이다. 그리고 그것은 다른 것에 의존하는 힘이 아니라 '스스로 활동하는 힘'이다.

위대한
창조자가
되는 길

모든 위대한 시인들의 내면에는 그들이 구사하는 어떤 재능보다도 우월한, 인간성에 대한 지혜가 들어 있다. 저자나 재치 있는 사람, 정당인, 세련된 신사도 인간성 자체를 대신하지는 못한다.
인간성은 호머 속에서, 초서 속에서, 스펜서 속에서, 셰익스피어 속에서, 밀턴 속에서 빛을 발한다. 그들은 진리에 만족하고 적절하게 표현한다. 그래서 열등하지만 인기 있는 작가들의 광적인 열정과 격렬한 색채에 길들여진 사람에게는 너무 딱딱하고 차갑게 여겨진다. 그들은 유익한 영혼에 자유로운 흐름을 허용해서 시인이 된 사람들이기 때문이다. 그 영혼은 그들의 눈을 통해 자신이 창조한 것을 다시 보고 축복한다. 그 영혼은 지식보다 우월하고, 그것이 만들어 낸 어떤 작품보다도 지혜롭다.

신이
부여하는
자리

고대인들은 평화롭고 아름다운 '천재'가 나타나 나라의 일을 다스릴 것이라 믿었다. 나라의 운명을 다스리는 조용한 신의 섭리가 있기는 하다. 그것은 시간이나 세대, 민족, 재난 따위를 대수롭지 않게 만들고, 실패든 성공이든 똑같이 정복하며, 적이나 방해물을 물리치고, 모든 비도덕적이고 비인간적인 것들을 부셔버리고, 세계의 도덕률을 거부하는 모든 것을 희생시켜 가장 선한 민족이 최후의 승리를 거두게 한다. 자신의 도구를 만들어 시대에 맞는 인간을 창조하고, 그를 가난 속에서 훈련시키고 재능을 불어넣으며, 그의 과업을 수행할 무기를 제공해준다.
신은 모든 민족에게 자신의 재능을 부여하고, 모두의 미덕을 완벽하게 결합하는 민족만이 존속할 수 있게 한다.

자연은 영혼을 치유하는 병원

서재에서 책을 읽듯 숲이라는 책을

읽을 줄 알게 되면 새로운 학위가 주어진다.

숲에 들어가면 뱀이 껍질을 벗어버리듯

사람은 자연 속에서 자신의 나이를 벗어던진다.

자연은 인간의 거울이다

인간 마음의 은유이다. 자연계의 법칙이 인간이 사는 물질계의 법칙에 상응하는 것은 마치 실제의 얼굴이 거울 속의 얼굴을 들여다보는 것과 같다.

아름다운
순환

자연은 인간을 위해 봉사하는 재료이자 과정이며 결과이다. 자연의 모든 부분은 인간에게 이익이 되기 위해 끊임없이 서로의 손이 되어 준다.
바람은 씨를 뿌려주고, 태양은 바닷물을 증발시키며, 바람은 수증기를 들판으로 실어 날라주고, 지구 저편의 얼음은 수증기를 응축시켜 이편에 비를 뿌려주고, 비는 식물을 키워주며, 식물은 동물을 먹여 살린다. 이렇게 신의 자비는 무한한 순환을 통해 인간을 살찌운다.

영혼을
치유하는
병원

사람들은 흔히 고난에 처할 때 가난을 숨길 장소로 혹은 사회적으로 성공을 거두지 못할 때 고독을 즐길 장소로 농장을 준비해 둔다.
사업에 실패해서 파산한 사람들, 법정이나 의회에서 굴욕을 당한 변호인들, 게으름과 쾌락의 희생자들이 얼마나 많이 농장으로 시선을 돌렸던가?
이들은 도시의 생활과 악덕에 상처입고 고통받다가 생각한다. '음, 나로 인해 상처받은 자식들을 땅으로 돌려보내야겠어. 나를 길러준 땅이 이제 아이들을 쉬게 해주고 치유해주게, 이제 땅이 그들의 병원이 되어주게.'

인간을 신처럼 만들어주는 약

자연은 약과 같다. 해로운 일이나 어울림 때문에 망가진 몸과 마음을 원래의 상태로 회복시켜준다.
상인이나 변호사는 거리의 소음과 술책에서 벗어나 하늘과 숲을 바라보며 다시 인간이 된다. 자연의 영원한 고요 속에서 진정한 자기를 발견한다.
눈의 건강에는 지평선이 필요하다. 먼 곳을 바라볼 수 있는 한 우리의 눈은 결코 피로해지지 않는다. 어스름한 새벽녘부터 해가 떠오를 때까지 나는 맞은편 언덕 꼭대기에서 펼쳐지는 풍경을 보면서 천사가 느꼈을 법한 정서를 경험하곤 한다. 심홍 색의 바닷속 물고기처럼 긴 구름 몇 자락이 하늘을 헤엄친다. 그러면 나는 마치 해안가에 서 있는 것처럼, 창가에서 고요한 바다 속을 들여다본다. 그러다보면 어느새 나도 자연의 빠르고 다양한 변화와 함께하는 것 같은 느낌이 든다. 그 활기와 황홀함이 내 몸까지 전해지면 아침 바람과 더불어 부풀어 오르고 아침 바람과 더불어 호흡한다. 자연은 쉽게 얻을 수 있는 몇 가지로 우리를 진정 신처럼 만든다!

일터이면서
놀이터도 되고,
정원이면서
침대도 되는

천체 사이를 떠다니는 푸른 지구 위에서, 인간에게 보살핌과 기쁨을 선사하는 자연이라는 한결같은 풍요의 양식을 탐구한다. 그러다보면 인간의 불행 따윈 한갓 어린애의 신경질 정도로밖에 여겨지지 않는다.

이 화려한 장식품, 풍부한 물자들, 머리 위 공기의 바다, 발아래 대양, 그 중간을 받쳐주는 대지는 대체 어떤 천사들이 발명한 것일까? 이 빛의 황도대, 물이 뚝뚝 떨어지는 구름 천막, 줄무늬 진 기후 코트, 네 가닥으로 접힌 사계절은 또 어떤 천사의 발명품이란 말인가?

짐승과 물, 불, 돌, 곡식들은 모두 인간에게 도움을 준다. 들녘은 인간의 마루이자 일터, 놀이터이자 정원, 침대이다.

소리 없는 시계

주의 깊게 바라보면 일 년의 모든 순간이 특유의 아름다움을 지니고 있다. 평범한 들판에서도 어떤 사람은 지금까지 보지 못했고 앞으로도 두 번 다시 못 볼 풍경을 매 순간 본다. 하늘이 매 순간 변화하면서 들판에 빛과 그림자를 던져주기 때문이다. 주위의 논밭에서 자라는 곡식들의 상태도 매 주 들판의 표정을 변화시킨다.
여름 날 목초지나 길가에 줄지어 있는 토종식물들은 시간을 알려주는 소리 없는 시계와 같다. 예리한 관찰자는 이들을 보며 하루 중 어느 때인지를 알아낸다. 이렇게 시간을 잘 지키는 식물들처럼 새나 곤충들도 그들의 시간을 엄중히 지키고, 일 년은 이들 모두를 기꺼이 품어 안는다.

모두가
소유주인
재산

모든 자연스러운 행위는 위대하다. 모든 용감한 행동은 고상하다. 그 장소와 그곳에 있는 사람을 빛나게 한다. 이런 위대한 행동을 보면서 우리는 우주가 모두의 것임을 깨닫는다.
이성을 가진 모든 창조물에게 자연은 일종의 지참금이나 자산과 같다. 우리가 원하면 모든 자연이 우리의 것이다. 본질적으로 우리 모두에게는 세계를 소유할 권리가 있다. 우리의 사상과 의지의 힘에 따라 세계를 우리 속으로 끌어들일 수 있다.

액자와 그림

진실하고 용감한 행위는 하늘을 끌어당겨 자신의 신전으로 삼고, 태양을 촛불로 만든다. 인간의 생각이 자연과 똑같이 위대하기만 하면, 자연은 팔을 뻗어 인간을 포옹한다.
자연은 장미나 제비꽃과 함께 기꺼이 인간의 뒤를 따르고, 자신의 몸을 굽혀 인간이라는 그림을 꾸며준다. 인간의 생각이 자연처럼 넓기만 하면 된다. 그러면 액자는 알아서 그림에 맞춘다.
덕이 있는 사람은 자연의 작용과 조화를 이루어 눈에 보이는 세계의 중심인물이 된다.

아름다움과 예술

신성한 것은 결코 사라지지 않고, 모든 선은 영원히 재생된다. 자연의 아름다움은 메마른 관찰이 아니라 새로운 창조를 통해 우리의 마음속에서 재현된다.
모든 사람은 세계의 아름다움에 어느 정도 감명을 받는다. 그중에는 희열을 느낄 만큼 강하게 감동을 받는 사람도 있다. 아름다움을 향한 이런 사랑이 바로 취향(taste)이다. 아름다움을 유달리 사랑해서 그것을 찬탄하는 데 만족하지 않고 새로운 형식으로 담아내려는 이들도 있다. 이렇게 새로운 아름다움을 창조하는 것이 바로 예술(art)이다.

세상에 홀로 아름다운 것은 없다

자연은 근본적으로 비슷하면서도 유일한 형상들의 바다이다. 나뭇잎 하나, 햇빛 한 줄기, 풍경 한 폭, 대양 등은 모두 우리의 마음에 비슷한 감동을 준다. 이 모든 형상의 공통점, 즉 완전함과 조화가 바로 아름다움이다. 아름다움의 표준은 모든 자연 형상, 자연의 총체이다.

이탈리아인은 아름다움을 '하나 속에 들어 있는 다수'라고 정의한다. 어떤 것이든 홀로 아름다운 것은 없다. 전체 속에 있을 때에만 비로소 아름다울 수 있다.

모든 자연물은
영혼의
상징이다

자연계에 존재하는 모든 것은 영혼의 상징이다. 자연계의 모든 현상은 정신의 상태와 상응하며, 정신의 상태는 자연계의 현상으로 드러난다.

격노한 사람은 사자와 같고, 교활한 사람은 여우와 같으며, 견실한 사람은 바위와 같고, 학식이 있는 사람은 횃불과 같다. 어린 양은 천진난만함을, 뱀은 교활한 악의를, 꽃은 미묘한 애정을 나타낸다. 빛과 어둠은 앎과 무지를 나타내는 친근한 표현이고, 열기는 사랑을 보여준다.

세상에서 가장 길고 넓은 자

물은 마시기에 좋고, 석탄은 땔감으로 적당하며, 양털은 옷으로 만들어 입기에 알맞다. 양털을 마시거나 물로 실을 짜거나 석탄을 입을 수는 없다.
현명한 사람은 사물을 분리하고 등급을 매기는 일에서 그의 지혜를 보여준다. 그들이 어떤 가치를 가늠하는 척도는 자연만큼이나 폭이 넓다. 하지만 어리석은 사람의 자에는 눈금이 없어서 모든 것이 똑같아 보인다. 이들은 좋지 않은 것을 가장 나쁜 것이라고 하고, 싫지 않은 것을 가장 좋은 것이라고 한다.

자연이라는
경전

자연과 조화된 삶. 진리와 미덕을 사랑하는 마음은 우리의 눈을 정화시켜 자연이라는 텍스트를 보고 이해하게 해준다. 덕분에 우리는 차츰 자연의 근원적인 의미를 발견한다. 세계는 우리 앞에 한 권의 책처럼 펼쳐지고 모든 형상은 자연의 숨겨진 삶과 궁극적인 목적을 드러낸다.

자신을 안다는 것

하나는 도장이고 하나는 이 도장이 남긴 자국이다.
자연의 아름다움은 그 자신의 마음의 아름다움이다. 자연의 법칙은 그 자신의 마음의 법칙이다. 그러므로 자연은 그에게 자신의 성취를 재는 척도가 된다. 자연에 대해 아는 것이 많을수록 자신의 마음도 잘 파악한다. 간단히 말하면 '그대 자신을 알라'는 옛 격언은 결국 '자연을 배우라'는 현대의 격언과 같은 의미를 지닌다.

농장은
무언의
복음서

[illegible] 아니고 무엇이란 말인가? 봄날에 처음으로 간 밭이랑에서부터 눈 덮인 겨울 들녘의 마지막 짚가리에 이르기까지 왕겨와 밀, 잡초, 나무, 해충, 비, 곤충, 태양 등은 모두 신성한 상징들이다.

뱃사람이나 양치기, 광부, 상인들은 제각각 다른 곳에 있어도 농부와 정확히 똑같은 경험을 하기 때문에 같은 결론에 도달한다. 모든 존재가 근본적으로 비슷한 것이다.

자연의 무한한 힘

자연이 모든 개인에게 미치는 도덕적 감흥은 자연이 개인에게 보여주는 진리의 양과 같다. 그러나 이 진리의 양을 누가 측정할 수 있겠는가?
파도에 시달린 바위가 어부에게 확고한 결의에 대해 얼마나 많이 가르쳐주는지 누가 가늠할 수 있겠는가? 폭풍우 머금은 구름떼가 휘젓고 다녀도 주름살 하나 얼룩 한 점 남기지 않는 푸른 하늘이 인간에게 고요에 대해서 얼마나 많이 일깨워주는지 누가 알겠는가? 짐승들의 무언극을 보면서 우리가 근면이나 신의 섭리, 애정을 얼마나 많이 배우는지 누가 가늠할 수 있겠는가?

몸도 자연

철학적으로 생각해보면, 우주는 자연과 영혼으로 이루어져 있다. 그러므로 엄밀히 말하면, 우리와 동떨어져 존재하는 모든 것, 철학이 비아(非我)라고 구분 짓는 모든 것, 자연과 인공, 타인과 나의 육체는 모두 자연의 일부이다.

자연이 위대한 이유

대기가 투명한 이유는 수많은 별들을 보여주어 인간에게 숭고미를 느끼게 하기 위함이다. 도시의 거리에서 이 별들은 얼마나 위대해 보이는가!

별이 천 년에 하룻밤밖에 보이지 않는다면, 인간은 별을 얼마나 열렬히 찬미하고 의지할까? 얼마나 많은 세대를 거치며 신의 찬란한 도시에 대한 기억을 전할까? 하지만 이 아름다움의 사절들은 저녁마다 나타나 우리에게 타이르듯 미소 지으며 우주를 비춰준다.

별은 우리에게 경건함을 불러일으킨다. 언제나 존재하지만 다다를 수는 없는 대상이기 때문이다. 그러나 마음을 열고 자연의 감화력을 받아들이면, 모든 자연물이 우리에게 다가와 이와 유사한 감흥을 선사한다.

태양을
보는
사람

어른은 거의 없다.

어른들은 대부분 태양을 보지 않는다. 보더라도 극히 피상적으로만 본다. 태양은 그들의 눈만 겨우 비춘다. 하지만 아이들에게는 태양이 눈과 마음까지 비춰준다.

자연을 사랑하는 사람은 내부와 외부의 감각이 서로 조화를 이루고 있다. 이들은 어른이 돼서도 아이와 같은 영혼을 잃지 않는다. 음식을 먹듯 매일 하늘, 땅과 소통한다. 현실이 아무리 슬퍼도 자연 앞에 서 있는 동안에는 황홀한 기쁨을 느낀다.

신의
정원에서

숲에는 영원한 청춘이 있다. 신의 정원은 예법과 신성으로 충만하고, 일 년 내내 축제처럼 치장을 하고 있다. 그래서 이곳을 찾는 손님은 천 년의 세월이 흘러도 싫증낼 일이 없다.
숲에 있으면 삶에 어떤 불행도 닥치지 않을 것 같은 느낌이 든다. 어떠한 치욕과 어떠한 재난도 자연이 치료해줄 것 같다. 맨땅에 발을 디딘 채 상쾌한 공기로 머리를 씻고 무한의 공간을 올려다보면, 모든 비루한 이기심은 사라져버린다.
그곳에서 나는 투명한 눈동자가 되고, 무(無)가 되어, 모든 것을 본다. 우주적인 존재의 흐름이 나를 관통한다. 나는 신의 한 부분, 신의 한 조각임을 느낀다.

희극에도
비극에도
어울리는 배경

자연은 말한다.

"그대는 나의 창조물이다. 그러니 아무리 큰 슬픔이 있더라도 나와 함께 있으면 즐거울 것이다."

태양이나 여름은 물론이고, 모든 시간과 계절도 우리에게 기쁨의 선물을 바친다. 바람 한 점 없는 대낮에서부터 적막한 한밤중에 이르기까지 모든 시간과 변화가 우리의 다양한 마음 상태에 조응하며 우리를 품어준다. 자연은 희극에도 비극에도 똑같이 잘 어울리는 배경이다.

영혼의 대화

들이나 숲이 선사하는 최고의 기쁨은 인간과 초목 사이의 신비롭고 불가사의한 관계를 돌아보게 해준다는 점이다. 그 속에서 나는 고독하지도 무시당하지도 않는다.
초목은 내게 고개를 끄덕이고, 나도 고개 숙여 인사한다. 폭풍에 나뭇가지가 흔들리는 모습은 새롭고도 익숙하다. 야생에서는 이미 알던 것들도 다시금 나를 놀라게 하고 새로운 감흥을 준다.
이런 기쁨을 만들어내는 힘은 자연이 아니라 우리 마음속에, 자연과 우리의 조화 속에 존재한다. 하지만 이런 기쁨을 만끽하려면 마음을 잘 다스려야 한다. 자연은 매 순간 서로 다른 영혼의 표정들을 담아내기 때문이다.
재난으로 괴로워하는 사람에게는 자기 집 화롯불도 슬프게 느껴진다. 가까운 친구와 막 사별한 사람에게는 어떤 아름다운 풍경도 초라하게 여겨진다. 위대한 하늘도 그 가치를 느끼지 못하는 사람의 머리 위에 있을 때는 그 위엄이 줄어든다.

숲에서는
습관의 배낭도
내려놓는다

숲에 첫발을 내딛는 순간 우리는 습관의 배낭을 내려놓는다. 숲에는 모든 종교를 부끄럽게 만드는 신성함이 있고, 영웅을 불신하게 만드는 진실이 숨어 있다. 자연은 우리의 환경을 보잘 것 없게 만들고, 자연 안으로 들어온 모든 인간을 신처럼 심판한다.

우리는 빼곡히 들어찬 도시의 집에서 나와 자연 속으로 들어간다. 그리고 자연의 장엄한 아름다움이 날마다 우리를 가슴에 품어주는 것을 느낀다.

그동안 자연의 아름다움을 무력하게 만드는 도시의 장벽에서 벗어나기를, 세상의 궤변에 넘어가지 않기를, 더 이상 쓸데없는 걱정에 시달리지 않기를 얼마나 바랐던가! 자연이 우리를 매혹시켜주기를 얼마나 갈망했던가!

몸과 마음을 위한 약

말 못하는 나무들이 함께 살자고, 재미없고 사소한 일들로 가득 찬 일상일랑 버리라고 우리를 설득한다. 자연에서는 어떤 역사도, 어떤 교회도, 어떤 국가도 거룩한 하늘과 영원한 시간을 방해하지 못한다.

우리는 얼마든지 자유롭게 자연의 열린 풍경 속으로 걸어 들어갈 수 있다. 새로운 경치와 꼬리를 물고 이어지는 감흥에 빠져 집 생각은 점점 마음 밖으로 밀려나고, 모든 기억은 현재라는 군주에 의해 사라져버린다. 이렇게 우리는 당당하게 자연의 인도를 받는다.

이런 황홀경은 몸과 마음의 건강에도 좋다. 정신을 맑게 해주고 상처를 치유해준다. 이것이야말로 자연이 주는 다정하고 소박한 즐거움이다. 덕분에 우리는 다시 자기를 회복하고 만물을 구성하는 본질적인 것들과 가까워진다.

자연과 함께하는 삶

나는 많은 것을 배우고 있다. 이제는 쾌락에 빠질 수 없으리라는 것을. 다시는 인간이 만들어낸 하찮은 것들을 갖고 놀 수 없으리라는 것을. 이미 사치스럽고 까다로운 사람이 되어버렸음을. 더 이상 우아하지 않은 삶은 살 수 없으리라는 것을. 시골사람들이야말로 내가 여는 축제의 주인공이 되리라는 것을. 그들이야말로 최고의 것을 알고 있다. 이 땅에 얼마나 많은 아름다움과 미덕이 있는지를 이해하고 이런 매력에 다가갈 줄 아는 사람들이다. 시골 사람들이야말로 진정으로 부유하고 고귀한 이들이다.

자연을 부끄럽게 만드는 인간

인간은 타락했다. 이제 자연은 인간이 아직 신성한 감정을 지니고 있는지를 재는 온도계와 같은 역할을 한다.
우리는 무감각과 이기주의라는 약점 때문에 자연을 우러른다. 하지만 인간이 다시 선한 본성을 되찾으면, 자연이 인간을 우러를 것이다. 지금 우리는 양심의 가책을 느끼며 물거품 이는 시냇물을 바라본다. 그러나 삶이 올바른 기운을 회복하고 제대로 흘러가면, 우리가 오히려 시냇물을 부끄럽게 만들 것이다.

자연의 계산된 낭비

고작 한 알의 씨앗을 퍼뜨리는 데 만족하지 않는다. 아주 많은 씨앗으로 허공과 대지를 채운다. 그래서 수천 개의 씨앗이 썩어 없어져도 수천 개의 씨앗이 땅에 뿌리를 내린다. 이 가운데서 수백 개의 씨앗이 싹을 틔우고, 수십 개의 씨앗만 제대로 성장한다. 그리고 이 가운데 하나가 조상의 대를 잇는다.

모든 자연물은 이처럼 계산된 낭비를 보여준다. 동물이 침입하지 못하게 울타리를 치는 공포감, 겁에 질려 몸을 움츠리게 만들고 뱀을 보거나 갑작스러운 소음을 들었을 때 깜짝 놀라게 만드는 공포감은 근거 없는 수많은 두려움을 느끼게 한다. 그러나 궁극적으로는 하나의 진짜 위험에서 우리를 보호해준다.

자연은 서두르는 법이 없다

자연은 결코 서두르는 법이 없다. 하나하나, 조금씩 조금씩 자신의 일을 완성해나간다. 우리는 고기를 잡거나 요트를 타거나 사냥을 하거나 작물을 재배하면서 자연의 방식을 배운다. 부족한 햇빛이나 바람, 뒤늦게 찾아오는 계절, 거친 날씨, 가뭄과 홍수, 우리의 느린 걸음과 모자란 힘, 바다와 육지의 광대함 등을 통해 인내와 참을성을 배운다.

농부는 자신의 시간을 자연에 맞추고, 자연의 한결같은 인내를 배운다. 땅이 그를 먹여주고 입혀준다고 믿기에 농작물이 다 자랄 때까지 묵묵히 기다린다.

도시는 언제나
농촌에서
힘을 얻는다

농부는 건강의 축적된 자본이다.
도시는 항상 농촌에서 힘을 얻는다.
농부는 끊임없이 은혜를 베푼다. 우물을 파고 돌샘을 만들며, 길가에 나무를 심고 과수원을 가꾸고 튼튼한 집을 짓는다. 늪을 메우고 돌로 길가에 앉을 곳을 만들기도 하고, 땅을 아름답고 보기 좋게 가꾼다. 비록 자신은 가져갈 수 없어도 먼 훗날 세상에서 유용하게 쓰일 재산을 일군다.
이런 의미에서 보면, 자신의 일터에서 성실하게 일하는 사람이 자선사업에 몸바치는 사람보다 사회에 이바지하는 바가 더욱 크다.

자연은 한 세대에게
모든 것을
주지 않는다

자연은 조심스레 유언을 남기는 사람처럼 한 세대에게만 모든 혜택이 돌아가지 않게 한다. 다음, 그 다음 세대, 네 번째 아니 마흔 번째 세대를 똑같이 걱정하고 배려한다. 그래서 자연에는 고갈되지 않는 자원의 저장고가 존재한다.
무수한 세월을 지나온 바위들은 지금도 산소나 석회를 조금의 줄어듦도 없이 과거에 있던 그대로 보존하고 있다. 끈기 있게 기다릴 줄 아는 훌륭한 바위들은 농부에게 이렇게 말한다.
"우리는 신성한 힘을 처음 받은 그대로 지니고 있습니다. 인간과의 신의를 저버리지 않았고, 지금 이 순간 그동안 저장해둔 힘을 꺼내 동물과 식물들이 마음껏 자라게 해줍니다. 우리는 이렇게 인간의 뜻에 따르고 있습니다."

자연이 우리에게 주는 것

[illegible] 볼 수 있는 순수한 행동은 농부나 사냥꾼, 선원처럼 자연과 더불어 살아가는 사람들에게서도 발견할 수 있다.
도시는 성장을 강요하고 우리를 말이 많은 유쾌한 사람으로 만든다. 하지만 우리를 인위적인 존재로 변화시켜버리기도 한다.
우리가 진정으로 관심을 기울여야 할 것은 개개인의 타고난 본성과 장점이다. 그것은 영원한 아름다움이자 경이이기 때문이다. 이 경이는 아무리 알아도 싫증이 나지 않는다. 자연과의 대화에서 소중히 간직할 것은 바로 인간 본성에 대한 이런 경이이다.

옮긴이의 글

시대를 초월한
정신의 아버지 같은 목소리

에머슨이 세월의 강물 속으로 사라진 지 벌써 이백여 년이나 흘렀다. 그러나 그의 글은 지금까지 살아남아서 많은 이들의 불안한 영혼을 치유해주는 좋은 처방전이 되고 있다. 두 세기도 더 지난 글이 현대인들에게 이처럼 강력한 치유의 힘을 발휘하는 이유는 무엇일까?

에머슨에게는 여러 가지 얼굴이 있다. 영국의 그늘에서 벗어나지 못하고 있던 초기 미국인들에게 '미국의 정신적 독립'을 선언한 정신적 스승으로서의 얼굴. 목사의 아들로 태어나 신학을 전공하고 목사가 되었다가 스스로 목사직을 버리고 살아 있는 종교를 실천한 구도자의 얼굴. 헨리 데이비드 소로우와 너새니얼 호손, 토마스 칼라일 같은 당대의 문인들과 영적인 교감을 나누면서 초월주의 모임을 이끌어간 문학가의 얼굴. 노예제 폐지 등 당대의 예민한 문제들에 적극적으로 발언한 개혁가의 얼굴. 세계인들의 마음에 새겨져 있는 에머슨의 얼굴은 이처럼 다양하고도 깊다.

이런 다양한 모습의 밑바탕에는 개인의 '자기믿음'을 중시하고, 자연 속에 존재하는 영적인 실재를 믿으며, 자기 내면의 신성을 느끼고 더 큰 영혼과 소통해야 한다는 가르침이 있다. 현대인들이 에머슨의 글에서 자기 성찰의 힘을 얻고, 불안과 두려움으로 흩어져 버린 마음을 다시금 단단하게 다잡을 수 있는 것은 엄격하고도 섬세하며 논리적이면서도 감성적인, 시대를 초월한 아버지 같은 이런 목소리 때문일 것이다.

그의 에세이들은 대개 강연의 내용을 다시 정리하고 편집한 것이다. 그래서인지 연설문이 갖는 즉흥성과 자유로운 전개는 당시의 사회문화적 현실이나 언어 습관에 익숙하지 않은 독자들에게 이해의 걸림돌이 되기도 한다. 그래서 이번 편역 작업에서는 독자들이 에머슨의 가르침을 가능한 한 쉽게 이해하고 가슴으로 받아들일 수 있도록 지나치게 난해하거나 가독성을 떨어뜨리는 부분은 문장 단위로 일부 삭제하는 것을 원칙으로 삼았다. 또 각 꼭지의 핵심을 좀더 분명히 이해하게 꼭지별로 원문에는 없는 제목을 만들어 넣었다.

이 책에 실린 글들은 에머슨의 제1수필집에 실려 있는 〈역사〉, 〈자기믿음〉, 〈보상〉, 〈초영혼〉, 제2수필집에 실려 있는 〈자연〉, 그리고 하버드대 졸업생 모임에서 발표한 연설문 〈미국의 학자〉와 〈자연〉, 〈농사〉에서 중요한 부분만을 추려내 번역한 것이다. 그리고 현실의 구체적인 문제에서부터 영적인 부분에 이르기까지 삶의 여러 층위들을 두루 성찰할 수 있도록, 책의 앞부분에는 개인적인 차원에서 실현되는 영혼의 법칙, 즉 자신감과 보상에 대한 내용들을 중심으로 넣었다. 중간에는 사회적인 관계 속에서 자신의 삶을 조망해볼 수 있도록 정치나 역사, 교육 등의 문제를 다룬 글을, 마지막 부분에는 좀더 형이상학적이고 고차원적인 시각에서 자연과 인간, 영혼과의 관계를 다룬 내용들을 배치했다.

에머슨을 다시 읽는 일은 즐겁고도 고통스러운 경험이었다. 산만한 마음에 죽비를 내리치는 것 같은 에머슨의 냉철한 진리의 말들 덕분에 영혼이 정화되는 것 같은 황홀한 느낌을 맛보았다. 하지만 읽을 때마다 새로운 의미를 뿜어내는 그의 다의적인 언어는 역자에게 큰 부담감을 안겨주기도 했다. 에머슨의 글과 씨름했던 여러 선배 역자들과 출판사의 꼼꼼한 도움이 없었다면, 더 많이 힘들었을 것이다. 이런 과정을 겪게 된 것도 다 에머슨의 글 속에 숨어 있는 무시할 수 없는 힘 때문일 것이다.

모든 글이 그렇지만, 특히 에머슨의 글은 읽는 이의 마음 상태와 깊이에 따라 다양한 울림을 자아낸다. 부디 소리 내어 여러 번 읽고 음미하면서 에머슨의 글이 주는 여러 차원의 가르침들을 속속들이 전부 거두어가는 즐거운 경험을 하기 바란다.

박윤정

옮긴이 **박윤정**

1970년 원주에서 태어났다. 고양이와 음악, 지극한 감동의 순간을 사랑하며 언제나 감사하는 마음으로 살려고 애쓴다. 지금은 가장 자연적인 환경 속에서 영성과 예술을 통합시키는 삶을 꿈꾸며, 번역을 통해 열심히 세상과 소통하고 있다.
옮긴 책으로 『사람은 왜 사랑 없이 살 수 없을까』『디오니소스』『달라이 라마의 자비명상법』『틱낫한 스님이 읽어주는 법화경』『식물의 잃어버린 언어』『생활의 기술』『생각의 오류』『플라이트』『만약에 말이지』『영혼들의 기억』『고요함이 들려주는 것들』『치유와 행복』 등이 있다.

자유롭고 강한 마음의 비밀
자기신뢰의 힘

초판 1쇄 인쇄 2016년 5월 16일
초판 5쇄 발행 2022년 2월 25일

지은이_랄프 왈도 에머슨
옮긴이_박윤정

발행인_양수빈

펴낸곳_타커스
등록번호_2012년 3월 2일 제313-2008-63호
주소_서울시 종로구 대학로14길 21(혜화동) 민재빌딩 4층
전화_02-3142-2887 팩스 · 02-3142-4006
이메일_yhtak@clema.co.kr

ISBN 978-89-98658-35-9 (03320)

* 값은 뒤표지에 표기되어 있습니다.
* 제본이나 인쇄가 잘못된 책은 바꿔드립니다.
* 이 책은 2012년 출간된 『스스로 행복한 사람』의 개정판입니다.